Fun! Fun! Korean

재미있는
한국어 5
Workbook

고려대학교 한국어문화교육센터 지음

교보문고

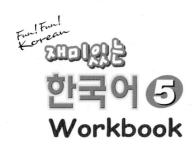

Workbook

Written by Korean Language & Culture Center,
            Institute of Foreign Language Studies, Korea University
Published by KYOBO Book Centre
Designed by Gabwoo
Illustrated by Soh, Yong Hoon

KYOBO Book Centre CO., Ltd
501-1 Munbal-ri Gyoha-eup
Paju-si, Gyeonggi-do, 413-756 Korea
Tel: 82-2-3156-3681
Fax: 82-502-987-5725
Http://www.kyobobook.co.kr

Text Credits

p. 25 ⓒ 『자원봉사 활동(제4의 물결)』 이성록 저, 학문사
p. 96 ⓒ http://bullwalk.blog.me/60091404529(꾸리찌바) 송준(작가/저널리스트)
p. 112~113 ⓒ 머니투데이 2010. 03. 27

Fun! Fun! Korean

재미있는
한국어 5
Workbook

한국어는 사용 인구면에서 세계 10대 언어에 속하는 주요 언어로, 지금도 많은 사람들이 세계 곳곳에서 한국어를 배우고 있습니다. 이러한 한국어 학습 열기는 국제 사회에서 한국의 위상이 높아짐에 따라 앞으로 더욱 뜨거워질 것으로 전망합니다.

고려대학교 한국어문화교육센터는 설립 이래 25년간 다양한 학습자를 대상으로 한국어와 한국 문화를 교육해 왔으며, 체계적이고 효율적인 교수 방법으로 세계적으로 정평이 나 있습니다. 그리고 그동안 학습자에 따른 맞춤형 교육을 실시해 오면서 다양한 한국어 교재를 개발해 왔습니다.

이 교재는 한국어문화교육센터가 그동안 쌓아 온 연구와 교육의 성과를 바탕으로 개발한 것입니다. 이 교재의 가장 큰 특징은 한국어 구조에 대한 이해와 다양한 말하기 연습을 바탕으로 학습자 스스로 의사소통 활동을 할 수 있도록 구성했다는 점입니다. 이 교재를 통해 학습자는 다양한 의사소통 상황에서 성공적인 한국어 의사소통을 할 수 있는 능력을 기르게 될 것입니다.

이 교재가 나오기까지 참으로 많은 분들의 정성과 노력이 있었습니다. 무엇보다도 밤낮으로 고민하고 연구하면서 최고의 교재를 개발하느라 고생하신 저자들께 감사를 드립니다. 또한 고려대학교의 모든 한국어 선생님들께도 깊은 감사를 드립니다. 이분들의 교육과 연구에 대한 열정과 헌신적인 노력이 없었다면 이 교재의 개발은 불가능했을 것입니다. 이 선생님들의 교육 방법론과 강의안 하나하나가 이 교재를 개발하는 데 훌륭한 기초 자료가 되었습니다. 이 외에도 이 책이 보다 좋은 모습을 갖출 수 있도록 도와주신 편집자, 삽화가께 감사를 드립니다. 또한 한국어 교육에 관심과 애정을 가지고 이렇듯 훌륭한 교재를 출간해 주신 교보문고에도 큰 감사를 드립니다.

부디 이 책이 여러분의 한국어 학습에 큰 도움이 되기를 바라며, 한국어 교육의 발전에 새로운 이정표가 될 수 있기를 바랍니다.

2010년 11월
국제어학원장 조규형

일러두기

개요

『재미있는 한국어 워크북 5』는 800시간 정도 한국어를 배운 학습자들이 어휘와 표현 그리고 문법을 재미있고 유용하게 익힐 수 있도록 개발된 연습책이다.『재미있는 한국어 5』와 긴밀한 관련성을 맺으면서 다양한 유형의 연습들을 수록하여 의미와 형태에 대한 정확한 이해는 물론 맥락 내에서 정확히 사용할 수 있는 쓰임을 익히도록 구성하였다. 어휘와 표현 그리고 문법에 대한 연습이 끝난 후에는 다양한 맥락에서 말하기, 쓰기, 읽기 연습을 하게 함으로써 고급 수준의 한국어 의사소통 능력을 기르는 데 도움을 줄 수 있도록 하였다.

목표

- 고급 수준의 어휘 및 표현, 문법의 정확한 사용을 익혀 한국어 표현력을 높인다.
- 다양하고 실제적인 연습 유형을 제시하여 유의미한 의사소통 연습이 되도록 한다.
- 한국의 대표적인 문학 작품(시, 수필)을 이해할 수 있다.

단원의 구성

『재미있는 한국어 워크북 5』는 1개의 문학 단원을 포함하여 모두 10개의 단원으로 구성되어 있다. 또한 3과, 7과, 10과 다음에는 종합 연습을 두어 종합적인 맥락에서 확인하고 강화할 수 있도록 하였다. 문학 단원을 제외한 단원의 구성은 다음과 같다.

| 학습 목표 | 단원 전체의 학습 목표와 학습 내용(주제, 기능, 연습)을 상세히 기술하여 학생들이 학습할 목표와 내용을 미리 알 수 있도록 하였다. |

| 어휘와 표현 | 주 교재에서 학습한 어휘와 표현을 다양한 유형의 연습을 통해 익힐 수 있도록 하였다. 의미 확인은 물론 정확한 형태 연습 및 어휘와 함께 자주 쓰이는 기능적 표현들을 함께 묶어 연습 하는 단계를 마련해 기능 수행을 효과적으로 할 수 있도록 제시하였다. |

| 문법 | 주 교재에서 다룬 문법을 형태적 정확성에 초점을 둔 단계와 맥락에서의 정확한 쓰임에 초점을 둔 단계로 나누어 연습할 수 있게 하였다. 연습에서 제시한 상황은 주 교재에서 다루고 있는 주제와 기능을 바탕으로 하되 해당 문법의 전형적인 쓰임을 익힐 필요가 있는 경우 다른 주제의 상황에 대한 연습도 포함하여 해당 문법의 정확한 쓰임을 익힐 수 있게 하였다. 이를 통해 학습자는 정확하고 적절한 문법 사용을 할 수 있게 될 것이다. |

말하기	주 교재에서 다룬 주제와 기능을 수행하는 대화를 학습자 스스로 구성할 수 있도록 마련하였다. 통제된 말하기 연습에 머무르지 않고 주어진 대화를 질문과 대답에 맞게 구성해 가는 열린 말하기 연습을 제시하였다. 이를 통해 단순한 표현 연습이 아닌 주제와 격식에 맞춰 유의미적으로 말하는 능력을 키울 수 있게 될 것이다.

쓰기	주 교재에서 다룬 주제와 기능에 대해 학습자 스스로 글을 완성해 볼 수 있도록 하였다. 이때 주제에 대한 구체적인 내용 정보를 주거나 글의 전체적인 구조를 생각하며 글을 완성할 수 있도록 장치를 마련하였다.

읽기	주 교재의 주제와 관련된 글을 읽음으로써 읽기 이해 능력을 기르도록 하였다.

종합 연습	문학 단원을 제외하고 3단원씩 묶어 전체 학습 내용을 종합적으로 점검할 수 있도록 연습을 마련하였다. 특히 어휘 연습은 학습자의 흥미를 이끌 수 있도록 재미있는 게임 형식으로 제시하였다.

정답	여기에는 쓰기 연습을 제외한 모든 문제의 정답 및 모범 답안을 정리하였다.

차 례

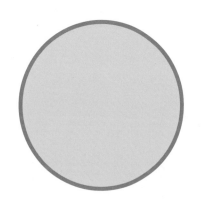

교재 구성

단원	주제	기능	어휘
1 봉사하는 삶	봉사와 기부	• 봉사나 기부에 대해 말하기 • 기부 방법의 변화에 대해 말하기	• 도움이 필요한 사람 • 도움이 필요한 곳 • 도움의 내용 • 기부 방법의 변화
2 건강한 생활	건강	• 인체와 질병에 대해 이야기하기 • 건강한 생활에 대해 설명하기	• 신체 기관 • 신체 기관의 기능 • 질병 • 영양소와 식품 • 건강 위협 요인
3 면접	면접과 자기소개서	• 면접 보기 • 자기소개하기 • 자기소개서 쓰기	• 지원 동기 • 성격의 장단점 • 경력이나 특기 • 향후 계획
종합 연습 I			
4 스포츠	스포츠	• 스포츠 경기 방법 설명하기 • 경기 결과 이야기하기	• 스포츠 종목 • 스포츠 참여자 • 경기 결과 • 스포츠의 장점
5 한국의 시와 수필	풀 낙화 국화 옆에서 나의 사랑하는 생활	• 문학 작품 감상하기 • 함축적 표현 이해하기	

문법	연습
• −야말로 • −다가도	• 말하기 : 봉사 활동을 주제로 설문 조사하기 • 쓰기 : 설문 조사지 작성하기 • 읽기 : 자원봉사 시 유의점에 대한 글 읽기
• −므로 • −는 셈 치다	• 말하기 : 섭식 장애에 대해 설명하기 • 쓰기 : 장수하는 사람들의 장수 비결에 대해 쓰기 • 읽기 : 건강을 지키기 위한 운동에 대한 글 읽기
• −ㄴ 만큼 • −되	• 말하기 : 면접관의 질문에 대답하기 • 쓰기 : 자기소개서 쓰기 • 읽기 : 자기소개서 작성 시 유의점에 대한 글 읽기
• −락−락하다 • − 싶다	• 말하기 : 스포츠를 소개하는 발표하기 • 쓰기 : 스포츠 소개글 쓰기 • 읽기 : 스포츠 경기 결과에 관한 신문 기사 읽기
	• 문학 작품을 읽고 이해한 후 자신의 감상 표현하기

단원	주제	기능	어휘
6 생활 속 과학	생활 속 과학	• 과학 용어 이야기하기 • 과학적 원리 설명하기	• 화학 • 물리 • 유전에 관한 기초 용어 • 물체의 변화
7 도시와 사람	도시와 사람	• 도시의 특징 설명하기 • 살기 좋은 도시의 조건 이야기하기	• 사는 곳 • 도시의 특징 • 도시 묘사 • 살기 좋은 도시의 조건
종합 연습 Ⅱ			
8 경제생활	경제생활	• 소비 생활에 대해 이야기하기 • 소비자 경제에 대하여 이야기하기	• 경제 관념 • 생활비의 종류 • 수입 관리 방법 • 경제 지표
9 세계와 나	세계	• 세계 이해하기 • 세계화 과정 설명하기	• 세계 지역 구분 • 종교 • 인종
10 한국의 역사	한국의 역사	• 한국의 왕조와 역사에 대해 이야기하기 • 왕조의 문화적 특징 이해하기	• 국가와 왕조 • 문화적 특징
종합 연습 Ⅲ			

문법	연습
• −게 마련이다 • −ㄹ까요	• 말하기 : 밥을 먹으면 졸음이 오는 이유에 대해 발표하기 • 쓰기　: 아이스크림의 비밀에 대한 발표문 쓰기 • 읽기　: 알비노 증상에 대한 글 읽기
• −다가 보면 • −이자	• 말하기 : 살고 있는 도시에 대해 이야기하기 • 쓰기　: 살기 좋은 도시에 대한 설명문 쓰기 • 읽기　: 브라질 쿠리치바에 대한 글 읽기
• −리라 • A라든가 B 같은 C	• 말하기 : 소비 생활에 대해 이야기하기 • 쓰기　: 환율과 경제생활에 대한 글쓰기 • 읽기　: 환율에 대한 글 읽기
• −다고 치다 • −고서야	• 말하기 : 세계 속의 자신에 대해 이야기하기 • 쓰기　: 세계의 구성원으로서 자신에 대한 글쓰기 • 읽기　: 세계인의 동경의 장소에 대한 글 읽기
• 덕분에/탓에 • −로써	• 말하기 : 역사적 인물에 대해 소개하기 • 쓰기　: 대표적인 문화에 대한 소개글 쓰기 • 읽기　: 한국의 역사에 대한 글 읽기

제1과 봉사하는 삶

학습 목표
봉사와 기부의 경험에 대해 이야기하고 이에 대한 자신의 견해를 밝힐 수 있다.

주제	봉사와 기부
기능	봉사나 기부에 대해 말하기, 기부 방법의 변화에 대해 말하기
연습	어휘 : 도움이 필요한 사람, 도움이 필요한 곳, 도움의 내용, 기부 방법의 변화
	문법 : −야말로, −다가도
	말하기 : 봉사 활동을 주제로 설문 조사하기
	쓰기 : 설문 조사지 작성하기
	읽기 : 자원봉사 시 유의점에 대한 글 읽기

제1과 봉사하는 삶

 〈보기〉와 같이 아래의 어휘를 사용해 글을 완성하라.

> **보기**
>
> 보다 효과적으로 어려운 이웃을 도울 수 있도록 <u>사회 제도를 개선할</u> 필요가 있다.

기부하다   돌보다   말벗이 되다   봉사하다
사회적 편견을 없애다   ~~사회 제도를 개선하다~~   지원을 하다

　　요즘 우리 주변을 살펴보면 어려운 사람을 돕는 사람들을 쉽게 볼 수 있다. 매월 일정 금액을 ❶_____ 사람들도 많고, 사회 복지 시설에 직접 찾아가서 ❷_____ 사람들도 쉽게 찾아볼 수 있다. 나도 얼마 전부터 의미 있는 일을 하고 싶어서 혼자 사는 할머니를 ❸_____ 드리는 일을 시작했다. 집에 찾아 가서 집안일도 해 드리고, 목욕도 시켜 드렸는데, 혼자라서 쓸쓸하셨던 할머니께서는 내가 할머니의 ❹_____ 준 것이 가장 기쁘셨나 보다. 이렇게 다정하게 이야기를 잘하니 나중에 꼭 좋은 데 시집갈 거라면서 내 손을 잡으시는 것이었다.

　　그런 할머니를 보며 여러 가지 생각이 들었다. 정부 및 여러 사회 기관에서 도움이 필요한 사람들을 위해 경제적으로 ❺_____ 것도 물론 필요하다. 그러나 더 중요한 것은 우리 사회에서 그런 분들이 소외되지 않도록 마음으로 안아 주는 것이 아닐까? 앞으로 소외 계층을 위해 더 많은 관심과 사랑을 가졌으면 좋겠다.

2 다음 그림에 알맞은 어휘를 연결하라.

❶ 　·

❷ 　·

❸ 　·

❹ 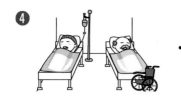　·

❺ 　·

❻ 　·

· ⓐ 요양원

· ⓑ 노숙인 쉼터

· ⓒ 고아원

· ⓓ 저소득층 아동 공부방

· ⓔ 양로원

· ⓕ 여성의 집

3 보기와 같이 아래의 어휘를 사용해 문장을 완성하라.

지진이나 폭우 등의 <u>자연재해</u>이/가 발생할 때마다 전 세계인이 하나가 되어 피해 지역을 돕는 모습이 정말 보기 좋다.

경제 수준	기부자	기부액	모금
연말연시	의식 수준	~~자연재해~~	정기적

❶ 가: 여기저기 자선냄비가 등장한 걸 보니 ＿＿＿＿＿＿＿＿인 게 실감나네.

　　나: 그러게. 자선냄비 본 김에 성금 좀 낼까?

❷ 가: 우리 회사에서는 소년 소녀 가장을 위해 연간 3억 원 정도를 후원하고 있습니다.

　　나: 그래요? ＿＿＿＿＿＿＿＿이/가 정말 엄청나네요.

❸ 가: 요즘은 일회성이 아니라 ＿＿＿＿＿＿＿＿(으)로 기부를 하는 사람이 많은 것 같아요.

　　나: 네. 저도 국제 단체에 매달 일정액을 보내고 있어요.

❹ 가: 상민이 얘기 들었지? 수술비가 없어서 수술을 못 받는다면서?

　　나: 그래서 말인데, 우리 반 친구들에게 ＿＿＿＿＿＿＿＿을/를 좀 하는 게 어떨까?

❺ 가: 요즘 자기들의 재능을 기부하는 재능 ＿＿＿＿＿＿＿＿들이 늘고 있대요.

　　나: 맞아요. 요리 실력을 기부하는 사람도 있고 구두 닦는 기술을 기부하는 사람도 있대요. 그리고 보면 돈이 없어도 남을 도울 방법은 얼마든지 있는 것 같아요.

❻ 경제적으로 여유가 생기면서 자신들보다 어려운 처지의 사람들을 돕고자 하는 이들이 많아졌다. 경제적인 발전과 함께 ＿＿＿＿＿＿＿＿도 높아진 것이다.

4 〈보기〉와 같이 아래의 어휘와 '우선적으로, −어야 한다고 생각하다'를 사용해 문장을 완성하라.

> **보기**
>
> [   ], 돕다
>
> ➡ <u>우선적으로 소년 소녀 가장을 도와야 한다고 생각합니다.</u>
>   이들이야말로 누구보다 경제적으로 곤란을 겪고 있기 때문입니다.

> 결식아동   노숙인   독거노인
> 미혼모   ~~소년 소녀 가장~~   장애인

❶ [   ], 일자리를 제공하다

➡ _____. 경제적인 어려움으로 인해 아이를

포기하는 경우가 많기 때문입니다.

❷ [   ], 겨울 동안만이라도 지하철 역사를 개방해 주다

➡ _____. 영하로 떨어지는 추운 날씨임에도

길에서 잠을 자다가 동사하는 이들이 많기 때문입니다.

❸ [   ], 사회적 편견을 버리다

➡ _____. 몸이 불편하여 겪는 어려움보다

사람들의 차가운 시선으로 인한 불편함이 더 크기 때문입니다.

❹ [   ], 방학 중에도 급식을 중단하지 않다

➡ _____. 학교가 쉬는 방학 동안 끼니를

해결하기 어렵기 때문입니다.

✏️ −야말로

1 〈보기〉와 같이 '−야말로'를 사용해 문장을 완성하라.

> **보기**
>
> 가: 너 일을 너무 많이 하는 거 아냐? 엄청 피곤해 보여.
>
> 나: 난 괜찮은데. <u>너야말로</u> 너무 피곤한 거 아니니? 눈 밑이 새카매.

❶ 가: 나는 지금까지 살면서 거짓말이라는 걸 해 본 적이 없어.

　　나: 한 번도 없다고? ＿＿＿＿＿＿＿＿＿ 거짓말이네.

❷ 가: 공무원들은 정말 좋겠어요. 정년이 될 때까지 잘릴 걱정도 없고 얼마나

　　　안정적이에요?

　　나: 맞아요. 요즘 같은 때 ＿＿＿＿＿＿＿＿＿ 최고의 직업 아니겠어요?

❸ 가: 요즘도 돈이 없어서 굶고 다니는 아이들이 많대요.

　　나: 저도 들었어요. ＿＿＿＿＿＿＿＿＿ 우리의 소중한 미래인데, 그런

　　　아이들이 굶는다니 정말 가슴 아파요.

❹ 가: 저기 사자 좀 봐. 동물 중에 사자만큼 위엄을 갖춘 동물은 없는 것 같아.

　　　역시 백수의 왕이야.

　　나: 무슨 소리야? ＿＿＿＿＿＿＿＿＿ 동물의 왕이지. 사자는 혼자 있으면

　　　힘을 못 쓰지만 호랑이는 그렇지 않다고. 생긴 걸 봐도 호랑이가 더 기품

　　　있잖아.

❺ 이 세상에는 소중한 것이 아주 많다. 하지만 ＿＿＿＿＿＿＿＿＿ 가장

소중한 것이라고 생각한다. 모든 것이 다 있어도 건강을 잃으면 아무 소용이

없기 때문이다.

✏️ –다가도

1 〈보기〉와 같이 아래의 어휘와 '–다가도'를 사용해 문장을 완성하라.

> 가: 저 아이들 좀 보세요. 벌써 화해해서 재미있게 놀고 있네요.
> 나: 아이들은 참 신기하죠? 방금 전까지 서로 안 볼 듯이 <u>다투다가도</u>
> 금방 사이좋게 지내잖아요.

그만두고 싶다	~~다투다~~	마음먹다
멀쩡하다 식욕이 없다	입을 다물고 있다	진지하다

---

❶ 가: 정수야, 아까는 배 안 고프다고 해 놓고 벌써 한 그릇 뚝딱 했어?

　　나: 헤헤, 왜 그런지 모르겠지만 _____ 음식만 보면 막

　　먹고 싶어져요.

❷ 가: 저 할머니께서 저렇게 생기 있어 보이는 건 처음 봐요.

　　나: 다른 얘기에는 대답도 안 하시고 _____ 자식들

　　얘기만 나오면 저렇게 신이 나서 말씀을 많이 하세요.

❸ 가: 고아원에서 봉사 활동한 지 오래됐지요? 힘들지 않아요?

　　나: 당연히 힘들지요. 애들이 여기저기 어지럽히고 보챌 때는 당장

　　_____ 아이들의 웃는 얼굴을 보면 계속 하지 않을

　　수가 없어요.

❹ 가: 우리 사무실 복사기 이상하지 않아? 평소에는 _____

　　꼭 바쁠 때만 복사가 안 돼.

　　나: 그러게. 복사기가 우리 괴롭히려고 작정한 것도 아닐 텐데 말이야.

❺ 가: 우리 아이가 사춘기인지 매사에 반항적이라 힘들어 죽겠습니다.

　　나: 그맘때 아이들이 다 그렇습니다. 부모님 말씀을 들어야지 하고

　　_____ 특별한 이유 없이 거스르고 싶어지니까요.

　　사실 아이들 스스로도 자신의 행동을 이해하지 못할 때가 많습니다.

말하기

1 봉사 활동을 주제로 설문 조사를 실시하고 있다. 다음 대답에 알맞은 질문을
아래에서 찾으라.

Q1	ⓓ 저, 실례합니다. 봉사 활동을 주제로 설문 조사를 실시하고 있는데요. 잠깐 시간 좀 내 주실 수 있으십니까?
A1	네, 잠깐이라면 괜찮습니다.

Q2	
A2	고등학생 때 고아원에 가서 아이들을 돌봐 준 적이 있어요.

Q3	
A3	연말연시는 아니고요. 두 달에 한두 번 정도 1년 동안 꾸준히 했던 것 같아요.

Q4	
A4	평소 봉사 활동에 관심이 있었는데 어디에 가서 해야 할지 모르겠더라고요. 그런데 마침 친구가 다니는 곳이 있어서 저도 가게 됐어요. 저희 집에서 가깝기도 했고요.

Q5	
A5	같이 봉사 활동했던 친구들 중에 여학생이 많아서 저는 주로 힘 쓰는 일을 했어요. 청소는 기본이고. 이불 빨래 같은 것도 도와 드렸지요. 아이들 공부도 봐 줬고요.

Q6	
A6	음, 양로원이나 요양원에 가서 노인 분들을 돌봐 드리는 게 어떨까 싶어요.

Q7	
A7	별말씀을요.

ⓐ 고아원에 가서 봉사 활동을 하신 특별한 이유가 있습니까?

ⓑ 지금까지 봉사 활동을 해 본 적이 있습니까?

ⓒ 그럼 정기적으로 방문하셨습니까? 아니면 연말연시 같은 특정한 시기에 방문하셨습니까?

ⓓ 저, 실례합니다. 봉사 활동을 주제로 설문 조사를 실시하고 있는데요. 잠깐 시간 좀 내 주실 수 있으십니까?

ⓔ 고아원에서 주로 어떤 일을 하셨는지 구체적으로 말씀해 주시겠습니까?

ⓕ 마지막 질문인데요, 다시 봉사 활동을 하게 된다면 어떤 분들을 돕고 싶으세요?

ⓖ 바쁘실 텐데 설문에 응해 주셔서 정말 감사합니다.

쓰기

1 봉사 활동 참여 상황 및 의식을 조사하는 설문 조사지를 만들어 보자.

1) 봉사 활동 경험에 대해 묻고자 한다. 어떤 것을 물을지 질문을 생각해 보라.

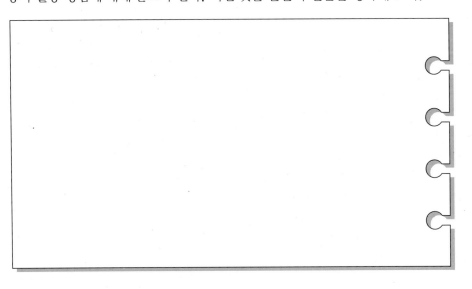

2) 생각한 문항을 모아 범주에 맞게 정리해 보라.

3) 문항의 순서를 결정하고 답항의 형식을 정해 보라.

4) 설문 조사지의 처음과 끝에 들어갈 인사말을 작성해 보라.

5) 설문 조사지를 완성하라.

읽기

1 다음은 자원봉사 시 유의해야 하는 점에 대한 글이다. 잘 읽고 질문에 답하라.

늘 깔끔한 모습으로 양로원에서 생활하시는 송 할머니. 그러나 성격이 까다로워 양로원의 다른 분들과 자주 다투곤 했다. 명절 끝 무렵의 어느 날 양로원을 방문하였더니 뿌루퉁하여 아는 척도 안 하셨다. "누구하고 다투셨습니까?" 물어도 대답을 안 하셨다. 한참을 달래 드렸더니 "내가 무슨 죄가 많아서. 여기 사는 것도 서러운데." 하며 말씀을 시작하셨다. 사정을 들어 보니 명절을 맞아 아침에는 교회에서 찾아와 예배를 드리고, 점심에는 성당에서 찾아와 미사를 드리고, 오후에는 절에서 찾아와 예불을 드렸다는 것이다. 이런 식으로 하루 종일 시달리다가 밤이 되어 잠자리에 누우니 예수 귀신, 부처 귀신 등 온갖 귀신이 꿈에 나타나는 바람에 밤새 잠을 이룰 수가 없었다고 한다.

어느 장애인 시설에서 있었던 일이다. 보육사가 정신 지체 아동에게 빨간 알사탕을 흔들어 보이면서 아이의 반응을 유도하는 훈련을 시키고 있었다. 그런데 시설을 방문했다가 우연히 이 장면을 보게 된 한 여성이 "그까짓 알사탕, 그냥 주면 될걸. 불쌍한 아이 왜 약을 올리냐?"고 흥분하며 항의를 하여 사람들을 당혹시켰다.

자원봉사를 한다는 것은 매우 훌륭한 일이다. 그러나 위 사례와 같이 자기 생각에 빠져서 상대방을 무시하고 일방적인 행동을 하는 것은 문제가 된다. 게다가 제대로 된 교육 과정을 거치지도 않은 상태에서 전문 직원의 영역까지 침범하여 이것저것 아는 체 한다면 그것은 돕는 게 아니라 오히려 폐를 끼치는 것이다.

그러므로 자원봉사를 할 때 자신의 선행에 취해서 ㉮꼬부랑 할머니의 지팡이를 들어 주는 것과 같은 자기중심적 일방적인 행동은 하지 말아야 한다. 뿐만 아니라 스스로의 역할을 과대 포장하는 실수도 범하지 말아야 한다. 상대방에게 필요한 것이 무엇인지 귀를 기울이고, 적절한 방법으로 돕는 것이야말로 자원봉사자가 해야 할 역할인 것이다.

1) 위 글의 중심 생각을 고르라.

❶ 자원봉사, 사랑하는 마음이 가장 중요하다.

❷ 상대방의 마음을 듣는 것, 그것이 자원봉사이다.

❸ 자원봉사자도 교육을 받는 것이 필요하다.

2) ㉮의 의미가 무엇인지 이야기해 보라.

제2과 건강한 생활

학습 목표
건강 상태를 설명하고, 건강한 삶을 위한 생활 습관에 대해 이야기할 수 있다.

주제	건강
기능	인체와 질병에 대해 이야기하기, 건강한 생활에 대해 설명하기
연습	**어휘** : 신체 기관, 신체 기관의 기능, 질병, 영양소와 식품, 건강 위협 요인
	문법 : -므로, -는 셈 치다
	말하기 : 섭식 장애에 대해 설명하기
	쓰기 : 장수하는 사람들의 장수 비결에 대해 쓰기
	읽기 : 건강을 지키기 위한 운동에 대한 글 읽기

제2과 **건강한 생활**

어휘와 표현

1 그림에 알맞은 신체 기관의 이름을 쓰고, 아래의 글을 완성하라.

> 기관지 뇌 대장 성대 소장 심장 위 자궁 폐 항문 혈관

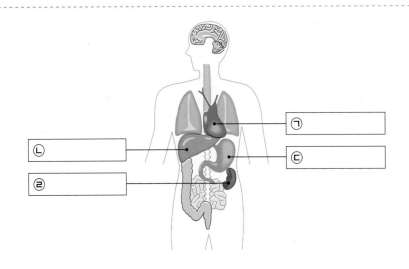

　　사람의 몸은 하나의 도시와 같다. 도시가 잘 운영되기 위해서는 도시에 사는 시민들과 각 기관들이 자신의 역할을 성실히 수행해야 한다. 사람의 몸도 마찬가지이다. ❶_____은/는 시청과 같이 도시의 각 기관이 잘 움직일 수 있게 지시를 내린다. 혈액은 ❷_____을/를 통해 택배 기사처럼 우리 몸 곳곳에 필요한 것을 운반한다. 우리 몸에 음식물이 들어오면 먼저 ❸_____에서 양분을 흡수해 몸의 이곳 저곳으로 보내고 ❹_____에서 수분을 흡수해 변이 될 수 있게 만든다. 이는 도시에 필요한 물자를 제공하는 유통업과 비슷해 보인다. 이제 흡수가 되고 남은 찌꺼기들은 환경미화원들이 쓰레기를 처리해 버리듯 ❺_____을/를 통해 밖으로 나간다. 이 외에도 숲 속 나무들이 도시에 맑은 공기를 제공하듯 ❻_____은/는 우리의 몸이 숨을 쉴 수 있게 도우며, 새로운 생명을 만들고 기르는 ❼_____은/는 가장 따뜻한 학교의 역할을 한다. 우리 몸 어떤 기관도 존재의 이유가 없는 것은 없다.

2 〈보기〉와 같이 아래의 어휘와 '–는, –를 하는데, –면 안 되다/–어야 하다'를 사용해 문장을 완성하라.

> 보기
>
> 소장, [_____], 찬 음식을 지나치게 많이 먹다
>
> ➡ 소장은 양분을 흡수하는데, 이를 잘할 수 있도록 하기 위해서는 찬 음식을 지나치게 많이 먹으면 안 된다.

목소리가 나오게 하다	소화 작용을 하다	~~양분을 흡수하나~~
중추 신경을 관장하다	태아를 보호하다	혈액을 순환시키다
해독 작용을 하다		

❶ 위, [_____], 자극적인 음식을 즐기다

➡ _____

_____

❷ 간, [_____], 간에 무리가 가지 않도록 하다

➡ _____

_____

❸ 뇌, [_____], 뇌에 충격을 주는 행동을 하다

➡ _____

_____

❹ 심장, [_____], 일주일에 3회 이상 운동을 꾸준히 하다

➡ _____

_____

❺ 성대, [_____], 목을 무리하게 사용하지 말다

➡ _____

_____

3 〈보기〉와 같이 아래의 어휘를 사용해 문장을 완성하라.

> 보기
>
> 봄이 되면 꽃가루 **알레르기**(으)로 인해 재채기가 나거나 눈이 충혈되는 증상이 나타난다.

```
고혈압          뇌졸중          당뇨병          백혈병
빈혈     성인병      알레르기          위암          치매
```

❶ _____은/는 남성보다는 여성에게서 많이 생기는데 _____이/가 생기면 얼굴색이 나빠지고 어지럼증이나 두통 증상이 나타난다.

❷ 혈압이 정상보다 높은 것을 _____(이)라 하는데, 나이가 들면서 스트레스, 식사 등 여러 환경 요인에 따라 일어날 수 있다.

❸ _____은/는 혈액에 생기는 종양의 일종으로 신체의 면역 기능을 떨어뜨린다.

❹ 30대 이후에는 지방이 많은 음식을 피하고 적당한 운동을 하는 등 _____ 예방에 신경을 써야 한다.

❺ _____은/는 뇌로 가는 혈관에 갑자기 이상이 생긴 것으로 언어 장애나 시각 장애, 어지럼증과 같은 증상을 유발한다.

❻ 위에 발생하는 암인 _____은/는 초기에는 별 증상이 없지만 점점 위의 통증이 심해지고 더부룩하고 메스꺼운 증상이 나타난다.

❼ _____은/는 대뇌 신경 세포의 손상 등으로 지능, 의지, 기억 따위가 지속적·본질적으로 상실되는 병이다. 주로 노인에게 나타나 말이나 행동이 느려지고 정신 작용이 완전하지 못하다.

4 〈보기〉와 같이 '–는 데다가, –까지, –다 보니'를 사용해 문장을 완성하라.

> 보기
>
> 편식을 하다, 운동을 안 하다
>
> 가: 소아 당뇨병이라는 게 있다면서요? 어린 아이들에게 성인병이
>   생기다니 말도 안 돼요.
>
> 나: 아이들이 <u>편식을 하는 데다가 운동까지 안 하다 보니</u> 그런 일이
>   생기는 거겠죠.

❶ 과음을 하다, 담배를 많이 피우다

　가: 민수 씨, 병원에는 다녀왔어요? 몸은 좀 어떻대요?

　나: 좋을 리가 있겠어요. 하루가 멀다 하고 ＿＿＿＿＿＿＿＿＿＿＿＿＿
　　　간이 많이 상했대요.

❷ 운동이 부족하다, 폭식을 하다

　가: 아버지, 요즘 배가 많이 나오신 거 같아요. 복부 비만이 건강에 해롭다는데요.

　나: 그러게 말이다. 요즘 ＿＿＿＿＿＿＿＿＿＿＿＿＿＿＿ 뱃살이 이렇게
　　　늘더라고.

❸ 다이어트를 심하게 하다, 잠이 부족하다

　가: 안색이 안 좋아 보이네요. 눈 밑에 다크서클도 생기고……．

　나: ＿＿＿＿＿＿＿＿＿＿＿＿＿＿＿＿ 그렇게 됐네요.

❹ 생활이 불규칙하다, 식습관이 좋지 않다

　가: 요즘 마틴 씨가 많이 피곤한 것 같아요.

　나: 맞아요. ＿＿＿＿＿＿＿＿＿＿＿＿＿＿＿ 몸 상태가 이만저만 나쁜 게
　　　아니래요.

❺ 규칙적으로 운동을 하다, 식사를 채식 위주로 하다

　가: 은우 씨, 얼굴이 많이 좋아졌네요. 뭐 좋은 거라도 드세요?

　나: ＿＿＿＿＿＿＿＿＿＿＿＿＿＿＿＿ 몸이 조금씩 좋아지더라고요.

문법

✏️ **–므로**

1 〈보기〉와 같이 '–므로'를 사용해 문장을 완성하라.

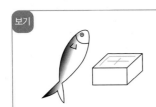

> 보기
>
> 탄탄한 근육을 만들려면 단백질이 필요하다
>
> ➡ 탄탄한 근육을 만들려면 단백질이 필요하므로 고등어, 두부 등을 자주 섭취해야 합니다.

❶ 비타민을 많이 섭취하면 피부가 좋아지다

➡ _____

_____

❷ 지방은 뇌에 영양을 공급하다

➡ _____

_____

❸ 성장기 아동에게는 칼슘이 꼭 필요하다

➡ _____

_____

❹ 햄버거에는 염분이 많아 건강에 해롭다

➡ _____

_____

❺ 탄수화물을 지나치게 섭취하면 비만이 될 수 있다

➡ _____

_____

✏️ –는 셈 치다

1 〈보기〉와 같이 아래의 어휘와 '–는 셈 치다'를 사용해 문장을 완성하라.

> **보기**
>
> 가: 경진아, 오늘 시간 있지? 내가 오늘 한턱낼 테니까 가자.
>
> 나: 이거 미안해서 어쩌지? 내일 발표가 있는데……. 이번엔 **먹은 셈 칠게**.

먹다	못 듣다	못 보다	선물하다
속다	없었다	운동하다	

❶ 가: 이번엔 거짓말 아니에요. 제발 도와주세요.

　 나: 그래. ＿＿＿＿＿＿ 한 번만 더 믿어 볼게.

❷ 가: 동민 씨, 세윤 씨하고는 아직도 화해를 안 한 거예요?

　 나: 네. 걔가 먼저 미안하다고만 하면 그까짓 일은 ＿＿＿＿＿＿ 잘 지내 보려고 했어요. 근데 아직까지 전화 한 통이 없네요.

❸ 가: 아까 교실에서 치아키가 나한테 하는 말 들었죠? 진짜 기분 나빴어요.

　 나: 그 말은 ＿＿＿＿＿＿. 치아키도 후회하고 있을 거예요.

❹ 가: 재민아, 계속 그렇게 소파에서 빈둥거리지 말고 ＿＿＿＿＿＿ 심부름 이라도 해.

　 나: 아, 엄마. 유민이 있잖아요. 유민이 시키세요.

❺ 가: 혹시 저 없는 동안 도현 씨 왔다 갔어요? 저한테 책을 하나 빌려 갔는데 돌려줄 생각을 안 하네요.

　 나: 아, 그「꿈의 질주」요? 근데 상훈 씨는 벌써 다 읽지 않았어요? 도현 씨가 꽤 좋아하는 것 같던데 ＿＿＿＿＿＿ 그냥 주면 어때요?

말하기

1 다음은 섭식 장애에 대한 발표이다. 발표의 흐름에 맞게 빈칸에 알맞은 문장을
아래에서 고르라.

> 오늘은 섭식 장애 즉, 음식을 섭취하는 것과 관련된 질병에 대해서 말씀드리겠습니다. 섭식 장애에는 거식증과 폭식증이 있는데요. 이것은 주로 ❶ ＿＿＿＿＿＿＿
> ＿＿＿❷＿＿＿ 거식증이 생기면 아무것도 입에 대려고 하지 않거나 입에 대더라도 넘기지 못해, 체중이 20~30kg 정도 감소합니다.
> 이와 반대로 폭식증은 음식을 한꺼번에 지나치게 많이 먹는 병적인 증상입니다.
> ＿＿❸＿＿
> 이러한 섭식 장애를 극복하기 위해서는 ❹ ＿＿＿

ⓐ 거식증은 비만에 대한 두려움과 신체적 성숙을 거부하는 것입니다.

ⓑ 폭식증이 생기면 심장 마비의 위험성이 높아지고 구토를 자주 해 소화계 이상이
올 수도 있습니다.

ⓒ 호르몬의 이상이나 외모에 대한 지나친 집착과 같은 심리적인 이유로 생깁니다.

ⓓ 약물 치료와 함께 심리적인 치료가 병행되어야 하며 영양 관리와 영양 교육도
반드시 필요합니다.

쓰기

1 장수하는 사람들의 장수 비결을 알아보고 이를 소개하는 글을 써 보자.

1) 장수와 관련된 자료를 찾아보라.

2) 찾은 자료를 정리하여 어떻게 글을 쓸지 구상해 보라.

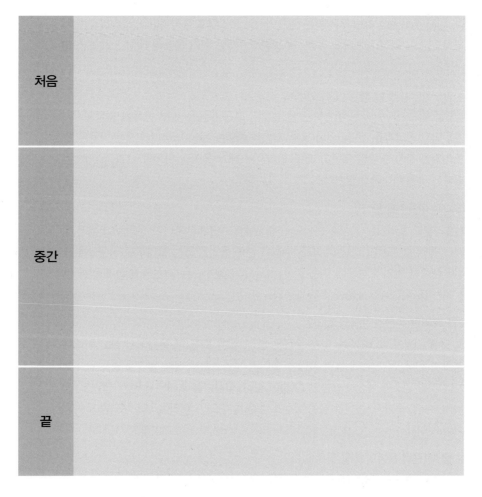

처음	
중간	
끝	

3) 구상한 내용을 바탕으로 글을 쓰라.

1 다음은 건강을 지키기 위한 운동에 관한 글이다. 잘 읽고 질문에 답하라.

윗몸 일으키기가 뱃살 빼기에 효과가 있을까? 훌라후프는 무겁고 큰 것이 좋을까? 현대인들의 건강을 위협하는 최대의 적은 바로 '뱃살'이다. 허리띠가 늘어나는 만큼 수명이 단축된다는 말이 있다. 현대인 10명 가운데 6~7명이 뱃살 때문에 다이어트를 결심한다고 한다. 이때 주로 등장하는 것이 윗몸 일으키기와 훌라후프 돌리기이다. 그러나 전문가들은 모두 도움이 되지 않는다고 한다. 왜 그럴까? 뱃살 빼기 운동에 대한 오해와 진실을 알아보자.

윗몸 일으키기가 뱃살 빼기 ㉮특효약?

NO! 윗몸 일으키기는 대표적인 복근 운동이다. 복근 운동은 복부 근육을 발달시키기 위한 운동이지 에너지를 소모하거나 복부 지방을 줄이는 운동이 아니다. 전문가들은 윗몸 일으키기를 하면 단련된 복근이 배를 밀착시켜 배가 들어간 것처럼 보일 수 있으나 지방이 빠진 것은 아니라고 말한다.

훌라후프, 돌릴수록 좋다?

NO! 훌라후프 돌리기는 유산소 운동도 근력 운동도 아니다. 게다가 운동량이 적어 뱃살을 빼는 데에 큰 도움이 안 된다. 최근 무겁고 안쪽 돌기가 있는 훌라후프가 뱃살을 자극한다고 생각해 인기가 높은데 이는 복부 마사지나 혈액 순환 개선에 효과가 있을 뿐 뱃살을 빼는 데 직접적인 도움을 주지 않는다.

뱃살을 빼려면 유산소 운동을 하라?

YES! 뱃속 지방만 쏙 빼 주는 맞춤 운동은 없다. 살은 빠질 때 온몸에서 골고루 비슷한 비율로 빠진다. 몸 전체에 쌓인 지방을 줄이면 자연스럽게 배에 쌓인 지방도 줄어들게 되는데 지방 연소에 유산소 운동만 한 것이 없다. 식사량을 줄이면서 걷기, 달리기, 자전거 타기, 수영, 줄넘기, 등산과 같은 유산소 운동을 한다면 허리둘레와 체지방이 동시에 줄어들 것이다.

뱃살 뺄 때 근력 운동까지 할 필요 없다?

NO! 다이어트를 하는 이들에게 근력 운동을 강조하는 이유는 감량 이후 요요 현상 없이 감량 체중을 유지하는 데 도움이 되기 때문이다. 근육량이 많아지면 같은 양을 먹어도 살이 덜 찌는 체질로 바뀐다. 기초 대사량이 늘기 때문이다. 또한 근력 운동을 하면 몸을 탄력 있게 해 주는 효과도 있다.

1) 읽은 내용과 같으면 ○, 다르면 ✕에 표시하라.

   (1) 윗몸 일으키기는 복부 근육을 발달시키는 운동이다.   ☐○ ☐✕

   (2) 무거운 훌라후프는 혈액 순환에 도움이 되지 않는다.   ☐○ ☐✕

   (3) 특정 부위의 살을 빼는 데에는 유산소 운동이 효과적이다.   ☐○ ☐✕

   (4) 근력 운동은 기초 대사량을 늘려 감량 체중을 유지하는 데
       도움이 된다.   ☐○ ☐✕

2) ㉠의 의미가 무엇인지 생각해 보라.

제3과 면접

학습 목표
입학이나 취업 상황의 면접에서 주어진 질문을 이해하고 답변할 수 있다.

주제	면접과 자기소개서
기능	면접 보기, 자기소개하기, 자기소개서 쓰기
연습	어휘 : 지원 동기, 성격의 장단점, 경력이나 특기, 향후 계획
	문법 : -ㄴ 만큼, -되
	말하기 : 면접관의 질문에 대답하기
	쓰기 : 자기소개서 쓰기
	읽기 : 자기소개서 작성 시 유의점에 대한 글 읽기

제3과 면접

1 〈보기〉와 같이 아래의 어휘를 사용해 글을 완성하라.

>
> 주변 모든 사람들로부터 현호건설이 건축업 <u>분야에서 최고라고</u>
> <u>들었습니다</u>. 최고의 기업에서 최고의 기술력을 배우고자 지원하였습니다.

> 경영 철학에 공감하다   명성을 듣다   발전에 기여하다
> ~~분야에서 최고라고 듣다~~   역량을 발휘하다   꿈을 펼치기에 적합하다

    제 꿈은 지금까지 없었던 새로운 모양의 자동차를 디자인하는 것입니다. 이런 제
❶_____ 곳을 찾지 못해 고민하던 때, 업계에 새로운 바람을
일으켰다는 귀사의 ❷_____ 되었습니다. 사실 지금까지 대
부분의 자동차 회사에서는 새로운 디자인에 대해 고민하기보다 유명한 자동차의 디
자인을 모방하는 데 급급하였습니다. 그런 상황임에도 불구하고 귀사는 '디자인 경
영'이라는 경영 방침을 세우고 도전적인 디자인으로 자동차 시장의 새로운 시대를
열었습니다. 그런 귀사야말로 제 청춘을 바쳐 일할 곳이라는 확신이 들었습니다.

    저는 지금까지 수많은 공모전에서 창의적인 아이디어로 인정을 받은 바 있습니다.
귀사에 입사하여 제가 가진 창의성과 제가 가진 모든 ❸_____
싶습니다. 만약 저를 선택하여 주신다면 미래를 선도할 수 있는 비전을 제시하여,
귀사의 ❹_____ 하겠습니다.

2 〈보기〉와 같이 아래의 어휘를 사용해 문장을 완성하라.

> 보기
>
> 가: 영어에 '상'이라고 표시를 하셨는데, 실제 회화 실력은 어느
>   정도인가요?
> 나: 제 생각을 어느 정도 유창하게 표현할 수 있습니다. 또한 고등학생 때
>   전국 영어 토론 대회에서 1등을 <u>수상한 경력이 있습니다</u>.

> 면허증을 따다   ~~수상한 경력이 있다~~   어학연수를 받다
> 인턴사원으로 근무하다   자격증을 취득하다   해외 연수를 다녀오다
> 학생 회장을 한 경험이 있다

❶ 가: 요즘 어디 다녀? 왜 이렇게 얼굴 보기가 힘들어?

　 나: 우리도 이제 내년이면 3학년이잖아. 대학 졸업하기 전에 ＿＿＿＿＿＿

　　　 게 좋을 것 같아서 운전 학원에 다니고 있어.

❷ 가: 우리 부장님은 이 많은 사람들 앞에서 어쩌면 저렇게 말씀을 잘하실까요?

　 나: 학교 다닐 때 ＿＿＿＿＿＿ 하시더라고요. 그래서 이런 상황에 익숙하신

　　　 것 같아요.

❸ 가: 프랑스 요리는 국내에서 배우신 건가요, 아니면 ＿＿＿＿＿＿ 건가요?

　 나: 현지에서 직접 배우는 게 최고라고 생각해서 2년간 프랑스에서 요리 공부를

　　　 했습니다.

❹ 가: 1년 동안 ＿＿＿＿＿＿ 경력이 있네요.

　 나: 네, 정식 사원으로 입사하기 전에 현장 경험을 쌓아야겠다고 생각하고 1년간

　　　 방송국에서 일을 하였습니다.

❺ 가: 컴퓨터공학이 전공이 아닌데도 컴퓨터에 대해 해박하신 것 같네요.

　 나: 아, 네. 컴퓨터가 중요할 것 같아 두세 가지 정도 컴퓨터 관련

　　　 ＿＿＿＿＿＿.

3 〈보기〉와 같이 아래의 어휘를 사용해 문장을 완성하라.

> 보기
>
> 가: 특별한 포부가 있다면 말씀해 보십시오.
> 나: 한 10년쯤 후에는 이 분야에서 알아주는 <u>전문가가 되어</u> '영업'하면 제 이름을 떠올리게 하고 싶습니다.

가교가 되다   경험을 쌓다   다양한 사람들과 교류하다
목표를 달성하다   잠재력을 확인하다   ~~전문가가 되다~~
학업에 매진하다

---

❶ 가: 대학에 입학한 후 가장 하고 싶은 활동은 뭔가요?

　 나: 아르바이트나 동아리 활동 같은 과외 활동보다는 ＿＿＿＿＿＿＿＿＿＿
　　　 이 분야에 대한 이론적인 지식을 넓히고 싶습니다.

❷ 가: 이 과장, 축하하네. 자네가 이번 프로젝트를 그렇게 잘 해낼 줄 정말 몰랐어.

　 나: 감사합니다. 프로젝트 성공도 성공이지만, 숨겨져 있던 저의
　　　 ＿＿＿＿＿＿＿＿＿＿＿ 것 같아 기분이 더 좋네요.

❸ 가: 너는 어딜 가든 모르는 사람이 없구나. 너처럼 발이 넓은 사람은 처음 봤어.

　 나: 이런 저런 사람들을 많이 만나면 책으로는 알 수 없는 걸 배울 수 있잖아.
　　　 그래서 ＿＿＿＿＿＿＿＿＿＿ 의식적으로 노력하는 편이야.

❹ 가: 조금만 분발하면 우리가 다른 영업소를 제치고 판매 실적 1위를 차지할 것
　　　 같습니다.

　 나: 모두들 들으셨지요? 우리가 세운 영업 ＿＿＿＿＿＿＿＿＿＿ 위해
　　　 조금만 힘을 냅시다.

❺ 한국에는 아직 우리나라에 대해 모르는 사람이 많은 것 같습니다. 앞으로 저는
　 한국과 우리나라 사이의 ＿＿＿＿＿＿＿＿＿＿ 양국이 보다 가까워질 수
　 있도록 노력할 계획입니다.

4 〈보기〉와 같이 아래의 어휘와 '-어, -다 보니, -ㄹ 때가 있다'를 사용해 문장을 완성하라.

> 보기
>
> [　　　　　], 지는 것을 싫어하다, 남과 다투다
>
> ➡ 승부욕이 강해 지는 것을 싫어하다 보니 남과 다툴 때가 있습니다.

> 공사 구분이 확실하다　　　　리더십이 있다　　　매사에 신중하다
>
> 승부욕이 강하다　　　융통성이 없다　　인정이 많다　　창의적이다

❶ [　　　　　], 남들과 다른 생각을 하다, 다소 공상적이라는 말을 듣다

➡ _____

_____

❷ [　　　　　], 결정을 할 때 시간이 걸리다, 아까운 기회를 놓치다

➡ _____

_____

❸ [　　　　　], 개인적으로 친분이 있다고 해서 봐주지 않다, 저에게 섭섭해하다

➡ _____

_____

❹ [　　　　　], 다른 사람들이 제 의견을 잘 따르다, 독불장군이라는 말을 듣다

➡ _____

_____

❺ [　　　　　], 다른 사람의 어려움을 지나치지 못하다, 제 일을 제때 처리하지

못하다

➡ _____

_____

문법

✏️ -ㄴ 만큼

1. 〈보기〉와 같이 아래의 어휘와 '-ㄴ 만큼' 사용해 문장을 완성하라.

> **보기**
>
> 가: 어머니, 저 시험에 떨어졌어요. 실망시켜 드려 죄송해요.
>
> 나: 괜찮아. 지금까지 열심히 **노력한 만큼** 다음에 좋은 기회가 올 거야.

> ~~노력하다~~   받다   뿌리다
>
> 좋다   주다   크다   필요하다

❶ 가: 저희 회사는 조건이 _____ 업무도 아주 복잡하고 힘이 드는데 알고
   계십니까?

   나: 네. 힘들고 복잡한 업무이기 때문에 더 매력적이라고 생각합니다.

❷ 가: 감독님, 다음에는 또 어떤 작품으로 찾아오실지 벌써부터 기대가 되는데요.

   나: 사실 사람들의 관심이 _____ 부담도 많이 느낍니다.

❸ 가: 네가 이렇게 좋은 일을 하는 줄 정말 몰랐어.

   나: 나도 학교 다닐 때 도움을 많이 받았는걸. 내가 _____ 남을 위해
   쓰고 싶어.

❹ 가: 저 남자 주인공 애인 배신하고 부잣집 딸 만나서 결혼하더니 결국
   망했다면서?

   나: 그래서 _____ 거둔다는 말이 있잖아.

❺ 가: 이 집에는 볼펜이 왜 이렇게 많아요? 제가 좀 가져가도 돼요?

   나: 아, 여행 갔다 오면서 친구들 주려고 산 건데 많이 남았어요. _____
   가져가세요.

✎ -되

1 〈보기〉와 같이 아래의 어휘와 '-되'를 사용해 문장을 완성하라.

> **보기**
>
> 가: 이번 발표 주제는 정해 주시는 건가요?
>
> 나: 주제는 **자유롭게 정하되** 반드시 자기 나라의 문화와 관계가 있어야
> 합니다.

> 단점을 언급하다   보고서를 작성하다   용서는 하다
> ~~자유롭게 정하다~~   질문을 하다   최선을 다하다   학업에 매진하다

❶ 가: 발표 내용에 대해 궁금한 것이 있으면 질문을 해도 될까요?

    나: ＿＿＿＿＿＿＿＿＿＿＿＿＿ 발표가 끝난 후에 한꺼번에 해 주시면
    좋겠습니다.

❷ 가: 면접을 볼 때는 자신의 장점만 이야기해야 합니까?

    나: 그렇지는 않습니다. 자신의 ＿＿＿＿＿＿＿＿＿＿＿＿ 보완하기 위한
    노력도 말하면 좋습니다.

❸ 가: 앞으로 대학 생활을 어떻게 할 계획이십니까?

    나: ＿＿＿＿＿＿＿＿＿＿＿＿＿ 다양한 사람들과 교류도 하고 싶습니다.

❹ 누구보다 믿었던 친구가 뒤에서 나를 욕하고 있었다. 지금은 다시 사이좋게
지내지만 친구의 얼굴을 볼 때마다 생각이 난다. '＿＿＿＿＿＿＿＿＿＿＿
잊지는 못한다'는 말이 무슨 의미인지 알 것 같다.

❺ 무슨 일을 하든지 ＿＿＿＿＿＿＿＿＿＿＿ 결과에 연연하지 마십시오.

1 대학 입학 면접을 보고 있다. 빈칸에 알맞은 문장을 아래에서 고르라.

> 가: 고려대학교에 지원한 특별한 이유가 있습니까?
>
> 나: ❶ _____. 특히 훌륭한 교수님들과 뛰어난 인재들이 모여 있는 곳이라는 점에 끌려 지원하게 되었습니다.
>
> 가: 경영학과에 입학하게 된다면 주로 어떤 쪽으로 공부를 해 보고 싶은지 말씀해 보세요.
>
> 나: 경영 기획이나 전략 쪽으로 공부를 하고 싶습니다. 마케팅, 경영 시스템 등 경영학 과목 중 중요하지 않은 것은 하나도 없지만 ❷ _____.
>
> 가: 본인의 성격 중에서 가장 마음에 안 드는 부분이 있다면 이야기해 보세요.
>
> 나: 크게 마음에 들지 않는 부분은 별로 없는데요. 한 가지 말씀드리자면 승부욕이 강하다는 점입니다. 승부욕이 강하다 보니 제가 목표로 세운 일이 잘못되는 걸 참지 못할 때가 있습니다. 그래서 매사에 여유를 가지고 ❸ _____.
>
> 가: 앞으로 포부가 있다면 말씀해 보세요.
>
> 나: 제 고향은 경제적으로 다소 뒤쳐진 곳입니다. ❹ _____.

ⓐ 고려대학교는 아시아에서 손꼽힐 정도로 좋은 교육 환경을 갖춘 곳입니다

ⓑ 대학에서 공부한 것들을 바탕으로 우리 고향의 경제 발전에 도움을 줄 수 있는 사람이 되고 싶습니다

ⓒ 회사 전체가 나아갈 방향을 기획하고 전략을 짜는 일에 특히 관심이 많습니다

ⓓ 결과보다는 과정이 중요하다는 사실을 스스로에게 일깨워 주고자 노력하고 있습니다

1 다음은 고려대학교의 자기소개서 양식이다. 자기소개서를 써 보자.

자기소개서

> ※ 자기소개서 작성 유의사항
> 1. 자기소개서는 입학 전형의 중요한 평가 자료이므로 사실에 기초하여 본인이 직접 작성하여야 합니다.
> 2. 작성 시 지정된 분량을 초과할 수 없습니다.

1. 지원 동기와 지원한 분야를 위해 어떤 노력과 준비를 해 왔는지 기술하시오 (500자 이내).

2. 고등학교 재학 중 자기 주도적 학습 경험과 교·내외 활동을 서술하시오 (500자 이내).

3. 자신의 취약점이나 단점을 제시하고, 이를 극복하기 위해 어떠한 노력을 기울였는지 혹은 기울이고 있는지 구체적으로 기술하시오(500자 이내).

4. 고등학교 생활에서 자신의 리더십을 발휘한 활동의 내용과 성과에 대하여 구체적으로 기술하시오(500자 이내).

5. 고등학교 시절, 자신이 직접 경험한 사회(학교, 동아리, 지역 사회 등 포함)의 문제 중 가장 인상적이었거나 심각한 사례를 한 가지 제시하고, 그 문제를 극복하기 위해 어떤 일을 하였는지 구체적으로 기술하시오(500자 이내).

전형명		모집단위	
수험번호		성명	

---

1 다음은 자기소개서를 쓸 때 유의해야 할 점에 대한 글이다. 잘 읽고 질문에 답하라.

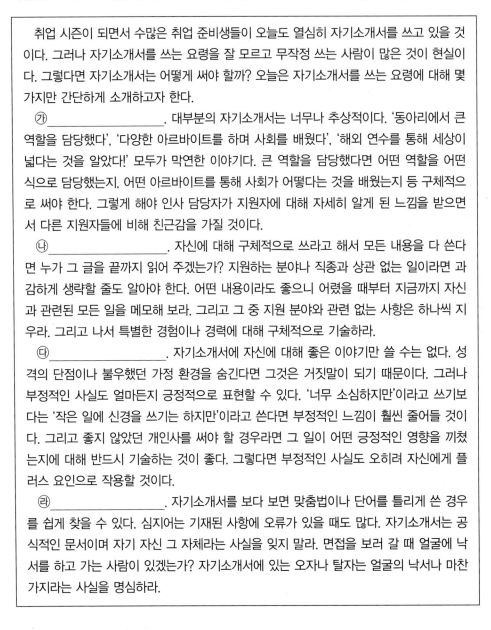

취업 시즌이 되면서 수많은 취업 준비생들이 오늘도 열심히 자기소개서를 쓰고 있을 것이다. 그러나 자기소개서를 쓰는 요령을 잘 모르고 무작정 쓰는 사람이 많은 것이 현실이다. 그렇다면 자기소개서는 어떻게 써야 할까? 오늘은 자기소개서를 쓰는 요령에 대해 몇 가지만 간단하게 소개하고자 한다.

㉮_____. 대부분의 자기소개서는 너무나 추상적이다. '동아리에서 큰 역할을 담당했다', '다양한 아르바이트를 하며 사회를 배웠다', '해외 연수를 통해 세상이 넓다는 것을 알았다!' 모두가 막연한 이야기다. 큰 역할을 담당했다면 어떤 역할을 어떤 식으로 담당했는지, 어떤 아르바이트를 통해 사회가 어떻다는 것을 배웠는지 등 구체적으로 써야 한다. 그렇게 해야 인사 담당자가 지원자에 대해 자세히 알게 된 느낌을 받으면서 다른 지원자들에 비해 친근감을 가질 것이다.

㉯_____. 자신에 대해 구체적으로 쓰라고 해서 모든 내용을 다 쓴다면 누가 그 글을 끝까지 읽어 주겠는가? 지원하는 분야나 직종과 상관 없는 일이라면 과감하게 생략할 줄도 알아야 한다. 어떤 내용이라도 좋으니 어렸을 때부터 지금까지 자신과 관련된 모든 일을 메모해 보라. 그리고 그 중 지원 분야와 관련 없는 사항은 하나씩 지우라. 그리고 나서 특별한 경험이나 경력에 대해 구체적으로 기술하라.

㉰_____. 자기소개서에 자신에 대해 좋은 이야기만 쓸 수는 없다. 성격의 단점이나 불우했던 가정 환경을 숨긴다면 그것은 거짓말이 되기 때문이다. 그러나 부정적인 사실도 얼마든지 긍정적으로 표현할 수 있다. '너무 소심하지만'이라고 쓰기보다는 '작은 일에 신경을 쓰기는 하지만'이라고 쓴다면 부정적인 느낌이 훨씬 줄어들 것이다. 그리고 좋지 않았던 개인사를 써야 할 경우라면 그 일이 어떤 긍정적인 영향을 끼쳤는지에 대해 반드시 기술하는 것이 좋다. 그렇다면 부정적인 사실도 오히려 자신에게 플러스 요인으로 작용할 것이다.

㉱_____. 자기소개서를 보다 보면 맞춤법이나 단어를 틀리게 쓴 경우를 쉽게 찾을 수 있다. 심지어는 기재된 사항에 오류가 있을 때도 많다. 자기소개서는 공식적인 문서이며 자기 자신 그 자체라는 사실을 잊지 말라. 면접을 보러 갈 때 얼굴에 낙서를 하고 가는 사람이 있겠는가? 자기소개서에 있는 오자나 탈자는 얼굴의 낙서나 마찬가지라는 사실을 명심하라.

1) 각 단락의 제목으로 알맞은 것을 고르라.

ⓐ 작은 실수도 없도록 보고 또 보라

ⓑ 부정적인 사실도 긍정적으로 쓰라

ⓒ 쓸 데 없는 내용은 과감히 잘라 내라

ⓓ 구체적으로 써서 친근감을 갖게 하라

2) 읽은 내용과 같으면 〇, 다르면 ╳에 표시하라.

(1) 자기소개서를 쓸 때 맞춤법이 틀리지 않게 신경을 써야 한다.　　〇　╳

(2) 자신에 대해 부정적인 인상을 받지 않도록 약간의 거짓말은
　　필요하다.　　〇　╳

(3) 인사 담당자가 자신에 대해 잘 알 수 있도록 가능한 모든
　　사실을 다 쓰는 것이 좋다.　　〇　╳

1 아래의 설명을 읽고 퍼즐을 완성하라.

a			1			b		c					d	
2							3			e				
			4							5				
6	f					g		h						
											i			
	7				8j		k							
9									10		l			
	m		11											
12	n			13										
									14		o			
15				p										
			16											
	q							r						
17			s		18	t			19			u		
					20							21		

〈가로 열쇠〉

1. 특정 물질이나 음식과 접촉했을 때 보이는 과민 반응. 복숭아 ○○○○가 있다.

2. 이것을 과다 섭취하면 살이 찌는데 주로 땅콩이나 돼지고기 등에 많이 들어 있다.

3. ○○○○가 원만한 사람은 다른 사람들과 문제없이 잘 지낸다.

4. 뒤에서 보살피며 도와주는 일. 가족을 ○○○○하다.

5. 마음이나 노력을 한 곳에 모으는 것. 친구에게 관심을 ○○○○.

6. 예외적인 사항이나 조건을 덧붙일 때 쓰는 말로 '뿐이었다'와 자주 쓰인다.
   ○○ 궁금할 뿐이었다.

7. 외부 자극으로부터 몸을 보호하는 조직으로 우리 몸 전체를 덮고 있다.

8. 정부나 단체에서 금전적으로 돕는 것.

9. 일을 지나치게 많이 하는 것.

10. 몸에 필요한 영양소가 부족한 상태를 가리키는 말.

11. 어떤 사실을 알기 위해 자세히 살펴보거나 찾아보는 것. 여론 ○○.

12. 실제 현장에서의 업무 능력을 가리키는 말.

13. 우리 몸의 노폐물이 배설되는 기관으로 장과 연결되어 있다.

14. 회사에 들어가게 된 이유.

15. 주민 대부분이 농사를 짓는 마을.

16. 버터나 치즈처럼 우유를 가공하여 만든 식품.

17. 모든 병을 고칠 수 있는 약으로 여러 가지에 효과가 있는 대책을 말하기도 한다.

18. 태어날 때부터 가지고 있는 건강상의 특징.

19. 어떤 성격이나 능력을 가지고 태어난다는 뜻. 건강을 ○○○○.

20. 아픈 사람이 누워 있는 자리를 가리키는 말. ○○에 누워 계시다.

21. 영양이 되는 성분. ○○을 흡수하다.

〈세로 열쇠〉

a. 현재의 상태를 변함없이 지킨다는 뜻. 건강을 ○○○○.

b. 허파와 연결되어 있는 기도의 한 부분. ○○○가 약하면 감기에 걸렸을 때 기침을 심하게 한다.

c. 우리 몸에서 소리를 내는 기관으로 ○○가 약해서 목이 잘 쉰다.

d. 이것저것 생각만 하고 결정을 내리지 못한다는 뜻.

e. 어떤 일을 일어나게 한 결정적인 원인이나 기회. 이 일을 시작하게 된 ○○.

f. 피로가 쌓여 늘 피로를 느끼는 증상.

g. 태어날 때부터 지니고 있다는 뜻. ○○○으로 간이 약한 사람.

h. 의지할 데 없는 노인 분들을 돌보는 보호 시설.

i. 뇌에 생긴 암을 가리키는 말.

j. 자신이 지금까지 해 온 일의 내용이나 항목.

k. 멀리 돌지 않고 가깝게 질러 통하는 길.

l. 집안이 가난하여 끼니를 거르는 아이.

m. 어떤 일을 하는 데 필요한 재주와 능력. 요즘 자신의 ○○을 기부하는 사람이 많다.

n. 의사나 의료 시설이 없는 곳.

o. 자선 사업이나 공공 사업을 돕기 위하여 대가 없이 내놓은 돈.

p. 여러 나라 사람들이 모여 자발적으로 조직한 단체로 유니세프나 월드비전 등이 있다.

q. 그때그때의 사정과 형편을 보고 일을 처리하는 재주로 '○○○이 있다' 또는 '없다'로 말한다.

r. 우리 몸에 많이 필요하지는 않지만 부족하면 결핍 증상이 나타나는 영양소. A, B, C, D, E가
   있다.

s. '강자'의 반대말.

t. 우리 몸에 생기는 모든 병을 가리키는 말. ○○을 예방하다.

u. 여러 가지를 가리키는 말. ○○하다.

2 다음 밑줄에 알맞은 말을 〈보기〉에서 골라 쓰라.

> 보기
>
> 손을 떼다   손을 벌리다   손을 잡다
>
> 손이 크다   손이 작다   손이 발이 되도록 빌다

1) 가: 다른 주식은 다 올라가는데 왜 내가 투자한 데만 자꾸 떨어지는지 모르겠어.

   나: 넌 아무래도 주식에서 _____.

2) 가: 이게 다 뭐예요?

   나: 저희 어머니께서 _____ 한 번 음식을 장만하시면 많이

     만드시거든요. 좀 드셔 보시라고 가져왔어요.

3) 가: 어제도 늦게 들어가셨는데 사모님께서 아무 말씀 안 하셨어요?

   나: 화가 나서 쳐다도 안 보더라고. 별 수 있나? _____.

4) 대광제약이 세계적인 제약 회사인 바에른 사와 _____ 했습니다.

   대광제약은 바에른 사와의 협력을 통해 국내 시장은 물론이고 해외 시장에까지 발을 넓힐 수

   있을 거라 기대하는 분위기입니다.

3 다음 밑줄에 알맞은 말을 〈보기〉에서 골라 쓰라.

> 보기
>
> 간에 기별도 안 가다   간이 붓다   간이 콩알만 해지다
>
> 배가 아프다   쓸개가 빠지다   허파에 바람 들다

1) 가: 뭐가 그렇게 재미있길래 _____ 사람처럼 계속 웃어 대요?

   나: 이 만화책 진짜 끝내주게 웃겨. 너도 이따가 한번 읽어 봐.

2) 가: 뉴스 봤어? 어떤 사람이 경찰을 상대로 사기를 치려다가 덜미가 잡혔대.

   나: 경찰을 상대로 사기를 치다니 완전히 _____.

3) 가: 지원 씨, 차 샀다면서 왜 운전 안 해요?

　　나: 며칠 전에 접촉 사고가 났는데요. 그 이후로는 ＿＿＿＿＿＿＿＿＿＿＿ 운전대를

　　　　못 잡겠어요.

4) 가: 태호 요즘 잘나가더라. 학교 다닐 때는 별 볼 일 없더니 그렇게 잘될 줄 누가 알았겠어?

　　나: 그러게. 태호 보면 솔직히 ＿＿＿＿＿＿＿＿＿＿＿.

4 다음 밑줄에 알맞은 말을 보기에서 고르라.

> 보기
>
> ⓐ 군계일학　　　　ⓑ 유비무환　　　　ⓒ 외유내강　　　　ⓓ 타산지석

1) 가: 우리도 다른 회사를 ＿＿＿＿＿＿＿＿＿＿＿으로 삼아 좀 더 많은 사항들을 고려

　　　　해서 영업 전략을 세워야 하지 않을까요?

　　나: 안 그래도 S사나 M사의 전철을 밟지 않도록 자료를 철저히 분석하고 있습니다.

2) 가: 저 언니는 혼자 몸으로 바깥일도 하면서 어떻게 아이 셋을 키웠을까?

　　나: 보기에는 순해 보이지만 속은 얼마나 강하다고. 전형적인 ＿＿＿＿＿＿＿＿＿＿

　　　　형이야.

3) 가: 이 사진 좀 봐. 유빈 얼굴만 반짝반짝 빛이 나지 않니? 다른 배우들은 눈에 들어오지도

　　　　않아.

　　나: 이런 걸 보고 ＿＿＿＿＿＿＿＿＿＿＿이라고 하는 거겠지?

4) 가: 해마다 자연재해 때문에 피해를 보는 사람이 많잖아요. 미리 방지할 수 없는 걸까요?

　　나: 그러게요. 저도 전문가가 아니라서 잘 모르지만 ＿＿＿＿＿＿＿＿＿＿의 자세로

　　　　임한다면 가능할 것도 같은데 말이에요.

제4과 스포츠

학습 목표

스포츠 경기의 종류와 경기 방법, 경기 결과에 대해 이야기할 수 있다.

주제	스포츠
기능	스포츠 경기 방법 설명하기, 경기 결과 이야기하기
연습	**어휘** : 스포츠 종목, 스포츠 참여자, 경기 결과, 스포츠의 장점
	문법 : −락−락하다, − 싶다
	말하기 : 스포츠를 소개하는 발표하기
	쓰기 : 스포츠 소개글 쓰기
	읽기 : 스포츠 경기 결과에 관한 신문 기사 읽기

제4과 **스포츠**

어휘와 표현

1 그림을 보고 알맞은 말을 연결하라.

❶  ·

· ⓐ 다이빙

❷ ·

· ⓑ 배구

❸ ·

· ⓒ 양궁

❹ ·

· ⓓ 창던지기

❺ ·

· ⓔ 컬링

❻   ·

· ⓕ 허들

2 〈보기〉와 같이 아래의 어휘를 사용해 문장을 완성하라.

> **보기**
>
> 가: 이성용 선수는 골을 거의 안 넣나 봐요.
>
> 나: 원래 **수비수**들이 골 넣기는 좀 힘들죠. 자기가 골을 넣기보다 상대 선수가 골 넣는 것을 막는 데 집중을 하니까요.

> 감독   공격수   ~~수비수~~   심판
>
> 반칙을 하다   부상을 당하다   선수를 교체하다   응원하다

❶ 가: 저 심판 진짜 이상하네.

　　나: 왜요?

　　가: 저쪽 선수가 _____ 때는 본 척도 안 하고 우리 선수들한테만 경고를 주잖아요.

❷ 가: 또 골이 들어갔어요? 이러다가 지겠어요.

　　나: 그러게요. 저 16번 선수가 수비를 전혀 못하고 있어요.

　　다: 기다려 보세요. 감독이 곧 _____ 것 같아요. 저기 20번 선수가 몸을 풀고 있네요.

❸ 가: 어려운 상대라고 들었는데 생각보다 쉽게 이긴 것 같습니다.

　　나: 네. 선수들이 모두 최선을 다한 것이기도 하지만 무엇보다 _____의 작전이 성공한 것 같습니다.

❹ 가: 이번 대회에 정진호 선수가 나올까요?

　　나: 글쎄요. 훈련 중에 _____ 들었는데 다 회복이 되었는지 모르겠네요.

❺ 가: 야구 인기가 높다고는 들었는데 이렇게 관중이 많을 줄 몰랐어요.

　　나: 야구 경기도 재미있지만 경기장에 오면 저렇게 관중들이 _____ 모습도 진풍경이에요. 지역마다 특색이 있거든요.

3 〈보기〉와 같이 밑줄 친 부분과 같은 것을 고르라.

>
> 가: 씨름 대회 백두장사가 가려졌다면서요?
>
> 나: 네. 이태현이 23일 열린 씨름 대회 백두급 결승전에서 이슬기를
> 3-0으로 <u>물리치며</u> 백두장사에 올랐습니다.
>   이기다

> 메달을 따다   비기다   신기록을 세우다
> ~~어기다~~   지다   출전하다   탈락하다

❶ 가: 어제 있었던 올림픽 경기 소식 전해 주시죠.

 나: 네. 피겨 스케이팅의 김윤아 선수가 대회 신기록을 세우며 <u>금메달을 목에
 걸었습니다.</u>

❷ 가: 여자 핸드볼 대표 팀에 비상이 생겼다면서요?

 나: 그렇습니다. 대표 팀의 주 공격수인 이정민 선수가 훈련 도중 다리 부상을
 당해 이번 대회에서 한 경기도 <u>뛰지</u> 못하게 됐습니다.

❸ 가: 아시아 축구 8강 경기가 다 끝났는데요. 경기 결과가 어떻게 됐습니까?

 나: 오늘 사우디아라비아에서 있었던 원정 경기에서 한국 팀은 0-2로 지면서
 <u>4강 티켓을 넘겨주고</u> 말았습니다.

❹ 가: 3회까지 무승부라 들었는데 아이스하키 경기가 종료됐습니까?

 나: 네, 방금 전 경기가 끝났습니다. 3연승을 노리던 타이거스가 결승타를 맞고
 2-3으로 이글스에 <u>무릎을 꿇었습니다.</u>

❺ 가: 양궁 경기는 어떻게 되었습니까?

 나: 임종현이 1일 중국에서 열린 국제 양궁 월드컵 남자부 예선에서 691점을 쏴
 자신이 <u>2008년에 세웠던 종전 기록을 4점이나 올렸습니다.</u>

4 〈보기〉와 같이 아래의 어휘와 '-만 한 것이 없다'를 사용해 문장을 완성하라.

> 보기
>
> ☐☐☐☐☐을 높이다, 체조
> ➡ 체조는 신체 각 부분을 일정한 형식으로 움직이는 운동이다.
> **유연성을 높이는 데에 체조만 한 것이 없다.**

> 근력   순발력   전신지구력   집중력
> ~~유연성~~   심폐 기능   체중 감량   체형 교정

❶ ☐☐☐☐☐을 높이다, 양궁

양궁은 주어진 과녁을 향해 화살을 쏘는 경기이다. 과녁을 향해 조준하는 동안

정신을 하나로 모으기 때문에 _____.

❷ ☐☐☐☐☐을 키우다, 마라톤

마라톤은 몸 전체를 사용하여 오랫동안 달리는 운동이다.

_____.

❸ ☐☐☐☐☐을 키우다, 배드민턴

_____. 워낙 빠른 속도로 셔틀콕이

왔다 갔다 하기 때문이다.

❹ ☐☐☐☐☐을 하다, 유산소 운동

몸 속의 지방을 연소하려면 장시간 저강도로 운동을 하는 것이 좋다. 따라서

_____.

❺ ☐☐☐☐☐을 하다, 승마

승마는 몸 전체의 균형을 잡아 주는 운동으로 몸의 좌우 균형을 맞추는 데 효과

적이다. 그래서 _____.

❻ ☐☐☐☐☐을 강화하다, 수영

수영은 물속에서 호흡을 조절하며 하는 운동이다. 오랜 시간 숨을 참는 법을

배우기 때문에 _____.

문법

✎ –락–락하다

1 〈보기〉와 같이 '–락–락하다'를 사용해 문장을 완성하라.

> **보기**
>
> 가: 경기가 어떻게 되었어요?
> 나: 후반까지 계속해서 <u>엎치락뒤치락하다가</u> 결국 우리 팀이 이겼어요.

❶ 가: 우산을 가지고 가야 될까요? 좀 전까지만 해도 비가 왔는데 금세 그쳤네요.

　나: 그러게 말이에요. 오늘은 비가 계속 _____.

❷ 가: 아이가 아프다면서요? 이제는 괜찮아요?

　나: 열이 _____ 걱정을 했는데, 병원에 갔다 온 후

　많이 좋아졌어요.

❸ 가: 곧 경기가 시작할 텐데 저 선수는 왜 저렇게 화장실을

　_____ _____?

　나: 손이 더러우면 시합에서 진다는 징크스가 있대요.

❹ 가: 과장님이 화 나신 일이 있나 봐요. 얼굴이 _____.

　나: 네. 아까 거래처에서 무슨 문제가 생겼나 봐요.

❺ 가: 윤희야, 네 언니 무슨 일 있니? 어제부터 표정이 안 좋은데 물어도 대답을

　안 한다.

　나: 저도 잘 모르겠어요. 어젯밤에도 _____ 쉽게

　잠을 못 이루더라고요.

✏️ – 싶다

1 〈보기〉와 같이 '– 싶다'를 사용해 문장을 완성하라.

> **보기**
>
>
>
> 가: 경기 결과가 어떻게 됐어요?
>
> 나: <u>이번에도 지나 싶어서</u> 끝까지 안 봤어요.

❶

가: 어제 경기에 김준호 선수가 나왔다면서요?

나: 네, 부상으로 _____

_____ 나왔더라고요.

❷

가: 이번 올림픽 결과가 어떻게 되었어요?

나: 훌륭한 선수도 많고 과학적인 훈련도 잘 돼

_____ 생각보다 못했어요.

❸

가: 와, 커피 사 오신 거예요? 안 그래도 커피 생각이

났었는데.

나: _____ 몸이 좀 따뜻해질

만한 것을 사 왔어요.

❹

가: 어떻게 이렇게 성적이 올랐어요?

나: _____ 눈에 불을 켜고

공부했어요.

❺

가: 어, 도진 씨가 이 밤에 웬일이에요? 아까 퇴근했잖

아요.

나: _____ 한번 와 봤어요.

뭐 좀 도와줄 것 없어요?

1 다음은 한국의 대표 스포츠를 소개하는 발표이다. 빈칸에 알맞은 문장을 아래에서 고르라.

> 한국의 대표적인 스포츠하면 뭐가 떠오르십니까? ❶
>
> ❷　　　❸
>
> 족구의 역사는 생각보다 길지 않습니다. 1960년대 군에서 시작되었다고 하는데 이후 전군으로 퍼지면서 국민 스포츠로 자리매김하게 된 것입니다. ❹
>
> ❺
>
> 족구는 이름 그대로 발로 하는 구기 운동입니다. ❻　　　❼
>
> 또한 배구와 같이 세트제로 경기를 하는데 3세트 중 2세트를 먼저 이긴 팀이 승리하게 됩니다. 선수는 한 팀당 4명이 뛰게 되는데 지역과 상황에 따라 선수 수는 조정할 수 있습니다.
>
> 지금까지 한국인이 사랑하는 스포츠 족구에 대해 소개해 드렸습니다. 경청해 주셔서 감사합니다.

ⓐ 초기에는 손 이외의 다른 신체 부위 어디나 사용할 수 있었다고 합니다.

ⓑ 공과 경기를 치를 수 있는 공터만 있다면 어디서든 시작할 수 있기 때문이지요.

ⓒ 태권도를 생각하시는 분이 많으실 텐데 오늘 제가 소개해 드릴 스포츠는 '족구'입니다.

ⓓ 태권도만큼 세계적으로 알려져 있지는 않지만 한국인에게는 태권도만큼 아니, 태권도보다 더 친숙한 스포츠입니다.

ⓔ 하지만 최근 나온 족구 협회 정식 규정에 따르면 목 윗부분과 무릎 아래만 사용할 수 있는 것으로 좀 엄격해졌습니다.

ⓕ 또한 족구는 태권도처럼 서로 겨루고 싸우는 경기가 아닌 서로 함께하며 즐기는 운동이라는 점에서 더 소개할 만하다고 생각했습니다.

ⓖ 이처럼 비교적 짧은 기간에 전국으로 확산된 데에는 족구의 규칙이 간단하며 족구를 하는 데 필요한 장비가 별로 없다는 점 덕분일 것입니다.

쓰기

1 여러분이 잘 알고 있는 스포츠 종목에 대해 소개하는 글을 써 보자.

1) 다음에 대해 메모해 보라.

스포츠 이름 :

상소 :

스포츠 방법 :

참여 선수 :

경기의 특징 :

이 스포츠를 할 때의 장점과 단점 :

2) 메모한 내용을 바탕으로 글을 써 보라.

읽기

1 다음은 축구 경기 결과에 관한 기사이다. 잘 읽고 질문에 답하라.

≡ NEWS ■

대학 축구 리그 출범… 고영전 무승부

수도권 10개 대학 축구팀이 연중 리그로 치르는 '대학 축구 리그'가 1일 오후 3시 서울 안암동 고려대 녹지운동장에서 고려–영세의 개막전을 시작으로 캠퍼스 열전에 돌입했다.

이날 개막 경기에는 정동준 대한 축구 협회장을 비롯해 허영무 국가 대표팀 감독, 박성호 올림픽 대표팀 감독 등 많은 축구인들이 경기장을 찾아 자리를 빛냈다.

경기장은 중간고사 막바지여서 다소 한산한 모습이었지만 빈 시간을 이용해 경기장 곳곳에 자리를 잡은 학생들은 갖가지 응원으로 분위기를 띄웠다.

한편, 고려와 영세의 개막전은 접전 끝에 2–2 무승부로 끝났다. 고려는 전반 24분께 터진 이웅의 선취골에 힘입어 1–0으로 앞선 채 전반전을 마쳤다. 1골 뒤져 있던 영세는 후반 4분 스트라이커 남성재가 고려 진영 페널티에어리어 안에서 벌어진 볼 다툼 끝에 득점에 성공, 경기를 다시 원점으로 돌려놓았다. 이에 고려는 후반 23분 송바울이 오른발로 두 번째 골을 만들어 다시 앞서갔다. 하지만 5분 뒤인 후반 28분 영세의 이성환이 다시 동점골을 기록해 2–2를 만들었고, 경기는 그대로 끝이 났다.

이날 경기 후 김상진 고려대 감독은 "대학 리그는 1주일 간격으로 계속 경기를 치르는 프로 축구 방식을 도입한 것이다. 선수들이 향후 프로 생활에 대비해 몸 상태를 유지하고 컨디션을 조절하는 방식을 배우는 데 도움이 될 것"이라고 환영했다.

정세진 기자 jsj@kbc.com

---

1) 읽은 내용과 같으면 ○, 다르면 ✕에 표시하라.

(1) 이 대회는 한 번 지면 결승에 오를 수 없게 된다. ☐○ ☐✕

(2) 고려대는 초반에 이기다가 무승부로 경기를 마쳤다. ☐○ ☐✕

(3) 프로 축구 개막전만큼 많은 관중이 경기장을 찾았다. ☐○ ☐✕

2 다음은 올림픽 경기 결과에 관한 기사이다. 잘 읽고 질문에 답하라.

☰ NEWS ■

진종민, 남자 50m 권총 금메달 명중

이번 대회 한국선수단에 첫 메달(은메달)을 선사한 진종민이 이번에는 금 과녁을 정조준했다. 남자 공기권총 50m에서 합계 660.4점으로 북한의 김정수에 0.2점 앞서 값진 금메달을 따냈다.

'바다의 왕자' 박대영은 아시아 신기록을 세우며 은메달 획득에 성공했다. 박대영은 12일 오전에 펼쳐진 남자 자유형 200m 결승전에서 8관왕을 노리는 마이클 스미스에 이어 2위로 골인, 아시아 신기록과 함께 영광의 은메달을 차지했다.

구기 종목에서는 여자 핸드볼과 야구가 승전보를 전한 반면, 남자 하키와 여자 농구는 4강 진출이 좌절됐다.

지난 올림픽 역도 은메달리스트였던 이배영은 부상을 당해 메달 획득에 실패했다. 69kg 역도 결승에 출전한 이배영은 1차 시기에서 불운의 부상을 당하며 메달권과 멀어졌다. 경기 내내 이배영을 응원하던 국민들은 경기 후 이배영 미니홈피 등을 검색하며 아쉬움을 감추지 못했다.

유민상 기자 yooms@kbc.com

1) 읽은 내용과 같으면 ○, 다르면 ✕에 표시하라.

(1) 구기 종목은 모두 8강에서 떨어졌다.   ☐○ ☐✕

(2) 박대영 선수는 아시아 신기록을 세웠다.   ☐○ ☐✕

(3) 한국은 이날 금메달 1, 은메달 2을 따냈다.   ☐○ ☐✕

제5과 한국의 시와 수필

학습 목표
한국의 대표적 시와 수필을 이해할 수 있다.

주제	풀, 낙화, 국화 옆에서, 나의 사랑하는 생활
기능	문학 작품 감상하기, 함축적 표현 이해하기
연습	문학 작품을 읽고 이해한 후 자신의 감상 표현하기

제5과 한국의 시와 수필

시

1

풀

김수영

풀이 눕는다
비를 몰아오는 동풍에 나부껴
풀은 눕고
드디어 울었다
날이 흐려서 더 울다가
다시 누웠다

풀이 눕는다
바람보다도 더 빨리 눕는다
바람보다도 더 빨리 울고
바람보다 먼저 일어난다

날이 흐리고 풀이 눕는다
발목까지
발밑까지 눕는다
바람보다 늦게 누워도
바람보다 먼저 일어나고
바람보다 늦게 울어도
바람보다 먼저 웃는다
날이 흐리고 풀뿌리가 눕는다

(1) 시를 낭송해 보고 전체적인 그림을 그려 보라.

(2) 시에 나타난 풀과 바람의 관계를 생각해 보라.

작가 소개

● 김수영(1921~1968)

서울에서 태어난 김수영은 병약한 어린 시절을 보냈다. 일본에서 대학에 입학한 후 학병 징집을 피해 만주로 갔다가 광복과 함께 귀국하여 시 창작에 전념하였다. 초기에는 현대 문명과 도시 생활을 비판하는 시를 주로 쓰다가 4·19혁명을 기점으로 정권의 탄압과 압제에 맞서 부정과 타협하지 않는 정신을 강조하는 시를 썼다.

2

낙화

이형기

가야 할때가 언제인가를
분명히 알고 가는 이의
뒷모습은 얼마나 아름다운가.

봄 한철
격정을 인내한
나의 사랑은 지고 있다.

분분한 낙화……
결별이 이룩하는 축복에 싸여
지금은 가야 할때

무성한 녹음과 그리고
머지않아 열매 맺는
가을을 향하여
나의 청춘은 꽃답게 죽는다.

헤어지자
섬세한 손길을 흔들며
하롱하롱 꽃잎이 지는 어느 날

나의 사랑, 나의 결별
샘터에 물 고인 듯 성숙하는
내 영혼의 슬픈 눈

(1) 시의 제목인 '낙화(꽃잎이 떨어지다)'에서 상상되는 이미지를 떠올려 보라.

(2) '가야 할 때'에 담긴 시인의 마음은 어떤 마음일지 생각해 보라.

작가 소개

● 이형기(1933~2005)

경상남도 진주에서 태어나 대학에서 불교학을 전공했다. 1949년 16세의 어린 나이에 등단하여 최연소 등단 기록을 세웠다. 이후 꾸준히 시와 수필을 쓰며 작품 활동에 전념했다. 초기에는 순수하고 서정적인 작품을 주로 썼으며 후기에는 날카롭고 격정적인 감정을 표현하는 데에 주력했다. 순수 문학의 예술 지상주의적 경향을 강조한 그는 동국대학교 국어국문학 교수로 재직하면서 많은 후학을 양성하였으며 말년에는 병상에서도 아내의 대필로 창작 활동을 멈추지 않았다.

3

국화 옆에서

서정주

한 송이의 국화꽃을 피우기 위해
봄부터 소쩍새는
그렇게 울었나 보다.

한 송이의 국화꽃을 피우기 위해
천둥은 먹구름 속에서
또 그렇게 울었나 보다.

그립고 아쉬움에 가슴 조이던
머언 먼 젊음의 뒤안길에서
인제는 돌아와 거울 앞에 선
내 누님같이 생긴 꽃이여.

노오란 네 꽃잎이 피려고
간밤에 무서리가 저리 내리고
내게는 잠도 오지 않았나 보다.

(1) 먼저 시를 눈으로 보면서 형식상의 특징을 찾아 보라.

(2) 시를 소리 내어 암송하면서 시의 리듬감을 느껴 보라.

(3) 시를 쓸 당시의 시인의 상황이나 심리를 생각하면서 시를 읽어 보라.

작가 소개

● 서정주(1915~2000)

전라북도 고창 출생. 1936년 등단. 일제 강점 말기에 일본을 옹호하는 시와 글을 통해 친일 행위를 하였다. 해방 후에는 좌파 계열의 문학적 흐름에 반대하는 우익 성향의 문학 협회를 결성하였으며 오랫동안 교수로 역임하면서 다수의 문학 단체에서 왕성한 활동을 하였다. 한국어를 다루는 천부적인 재능을 타고난 그는 탐미적인 경향이 강한 시를 주로 써 그와 사상적인 노선을 달리한 많은 작가들에게까지 영향을 주었다.

수필

1 수필을 읽고 감상해 보자.

1) 여러분이 일상생활 속에서 느끼는 작은 즐거움에는 어떤 것들이 있는가? 눈을 감고 여러분이 좋아하는 것들을 생각해 보라.

2) 다음 수필을 읽고 생각해 보라.

나의 사랑하는 생활

피천득

나는 우선 내 마음대로 쓸 수 있는 돈이 지금 돈으로 한 오만 원쯤 생기기도 하는 생활을 사랑한다. 그러면은 그 돈으로 청량리 위생병원에 낡은 몸을 입원시키고 싶다.

나는 깨끗한 침대에 누웠다가 하루에 한 두번씩 더웁고 깨끗한 물로 목욕을 하고 싶다. 그리고 우리 딸에게 제 생일날 사주지 못한 빌로도 바지를 사주고, 아내에게는 비하이브 털실 한 폰드 반을 사주고 싶다. 그리고 내 것으로 점잖고 산뜻한 넥타이를 몇 개 사고 싶다.

돈이 없어서 적조하여진 친구들을 우리 집에 청해오고 싶다. 아내는 신이 나서 도마질을 할 것이다.

나는 오만 원, 아니 십만 원쯤 마음대로 쓸 수 있는 돈이 생기는 생활을 가장 사랑한다. 나는 나의 시간과 기운을 다 팔아버리지 않고, 나의 마지막 십분지 일이라도 남겨서 자유와 한가를 즐길 수 있는 생활을 하고 싶다.

나는 잔디를 밟기 좋아한다. 젖은 시새(잘고 고운 모래)를 밟기 좋아한다. 고무창 댄 구두를 신고 아스팔트 위를 걷기를 좋아한다.

아가의 머리칼을 만지기 좋아한다. 새로 나온 나뭇잎을 만지기 좋아한다. 나는 보드랍고 고운 화롯불 재를 만지기 좋아한다. 나는 남의 아내의 수달피 목도리를 만져보기 좋아한다. 그리고 아내에게 좀 미안한 생각을 한다.

나는 아름다운 얼굴을 좋아한다. 웃는 아름다운 얼굴을 더 좋아한다. 그러나 수수한 얼굴이 웃는 것도 좋아한다. 서영이 엄마가 자기 아이를 바라보고 웃는 얼굴도 좋아한다. 나 아는 여인들이 인사 대신으로 웃는 웃음을 나는 좋아한다.

나는 아름다운 빛을 사랑한다. 골짜기마다 단풍이 찬란한 만폭동, 앞을 바라보며 걸음이 급하여지고 뒤를 돌아다보면 더 좋은 단풍을 두고 가는 것 같아서 어쩔 줄 모르고 서 있었다. 예전 우리 유치원 선생님이 주신 색종이 같은 빨간색, 보라, 자주, 초록, 이런 황홀한 색깔을 좋아한다. 나는 우리나라 가을 하늘을 사랑한다. 나는 진주빛 비둘기를 좋아한다. 나는 오래된 가구의 마호가니빛을 좋아한다. 늙어가는 학자의 희끗희끗한 머리칼을 좋아한다. 나는 이른 아침 종달새 소리를 좋아하며, 꾀꼬리 소리를 반가워하며, 봄 시냇물 흐르는 소리를 즐긴다. 갈대에 부는 바람 소리를 좋아하며, 바다의 파도 소리를 들으면 아직도 가슴이 뛴다. 나는 골목을 지나갈 때 발을 멈추고 한참이나 서 있게 하는 피아노 소리를 좋아한다.

나는 젊은 웃음 소리를 좋아한다. 다른 사람 없는 방 안에서 내 귀에다 귓속말을 하는 서영이 말소리를 좋아한다.

나는 비 오시는 날 저녁때 뒷골목 선술집에서 풍기는 불고기 냄새를 좋아한다. 새로운 양서 냄새, 털옷 냄새를 좋아한다. 커피 끓이는 냄새, 라일락 짙은 냄새, 국화, 수선화, 소나무의 향기를 좋아한다. 봄 흙 냄새를 좋아한다.

나는 사과를 좋아하고 호도와 잣과 꿀을 좋아하고 친구와 향기로운 차마시기를 좋아한다. 군밤을 외투호주머니에다 넣고 길을 걸으면서 먹기를 좋아하고, 찰스 강변을 걸으면서 핥던 콘 아이스크림을 좋아한다.

나는 아홉 평 건물에 땅이 오십 평이나 되는 나의 집을 좋아한다. 재목은 쓰지 못하고 흙으로 진 집이지만 내 집이니까 좋아한다. 화초를 심을 뜰이 있고 집 내놓으라는 말을 아니 들을 터이니 좋다. 내 책들은 언제나 제자리에 있을 수 있고 앞으로도 오랫동안 이집에서 살면 집을 몰라서 놀러오지 못할 친구는 없을 것이다.

나는 삼일절이나 광복절 아침에는 실크 해트를 쓰고 모닝을 입고 싶은 충동을 느낀다. 그러나 그것은 될 수 없는 일이다. 여름이면 베 고의 적삼을 입고 농립을 쓰고 짚신을 신고 산길을 가기 좋아한다.

나는 신발을 좋아한다. 태사신, 이름 쓴 까만 운동화, 깨끗하게 씻어 논 파란 고무신, 흙이 약간 묻은 탄탄히 삼은 짚신, 나의 생활을 구성하는 모든 작고 아름다운 것들을 사랑한다. 고운 얼굴을 욕망 없이 바라다보며, 남의 공적을 부러움 없이 찬양하는 것을 좋아한다. 여러 사람을 좋아하며 아무도 미워하지 아니하며, 몇몇 사람을 끔찍이 사랑하며 살고 싶다.

그리고 나는 점잖게 늙어가고 싶다. 내가 늙고 서영이가 크면 눈 내리는 서울 거리를 같이 걷고 싶다.

(1) 위 글을 쓴 사람이 좋아하는 것들에는 어떤 것이 있는가?

(2) 위 글에서 가장 마음에 드는 부분은 어디이며 그 이유는 무엇인가?

(3) 여러분이 좋아하는 것들을 생각나는 대로 적어 보라.

(4) '나의 사랑하는 생활'이라는 제목으로 글을 써 보라.

작가 소개

● 피천득(1910~2007)

1910년 서울 출생. 중국 상하이 후장 대학교(滬江大学)에서 영문학을 전공했고 서울대학교 교수로 재직하였다. 사소한 일상을 섬세한 필체로 표현해 수필이지만 시처럼 리듬감이 있고 아름답다는 특징이 있다. 그의 많은 작품들이 교과서에 실렸으며 많은 이들에게 고루 사랑을 받고 있다. 검소하고 소탈한 생활인으로 생을 마감할 때까지 작은 아파트에서 책과 더불어 조용하게 살았다.

제6과 생활 속 과학

학습 목표
일상생활에서 발견할 수 있는 과학적 원리를 이해하고 이에 대해 설명할 수 있다.

주제	생활 속 과학
기능	과학 용어 이야기하기, 과학적 원리 설명하기
연습	**어휘** : 화학, 물리, 유전에 관한 기초 용어, 물체의 변화
	문법 : –게 마련이다, –ㄹ까요
	말하기 : 밥을 먹으면 졸음이 오는 이유에 대해 발표하기
	쓰기 : 아이스크림의 비밀에 대한 발표문 쓰기
	읽기 : 알비노 증상에 대한 글 읽기

제6과 생활 속 과학

1 그림에 알맞은 화학 용어를 쓰고, 아래의 문장을 완성하라.

> 이산화탄소   산소   탄소   수소   산성   중성   알칼리성

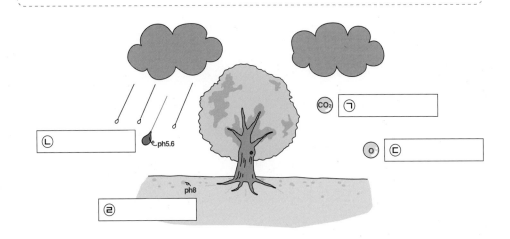

❶ 광합성은 녹색 식물이 빛 에너지를 이용하여 _____와/과 수분으로
유기물을 합성하는 과정이다.

❷ 산성비는 _____을/를 강하게 포함한 비로 토양을 변질시켜 생태계
에 나쁜 영향을 준다.

❸ 물은 _____와/과 _____의 결합물로 0℃ 이하에서는
얼음이 되고 100℃ 이상이 되면 끓는다.

❹ 벌에 쏘이면 그 침에 있는 산성 때문에 붓고 아픈데 이때 _____
물질을 바르면 중화되어 통증이 없어진다.

❺ 다이아몬드는 단단하며 광채가 아름다운 보석으로 주성분은 _____
(이)며 영원한 사랑을 약속하는 결혼반지에 많이 사용된다.

2 〈보기〉와 같이 아래의 어휘와 '–면, –게 마련이다'를 사용해 문장을 완성하라.

> **보기**
> 달에 가다, 몸이 둥둥 뜨다, 이는 달에는 [   ] 이/가 없기 때문이다
> ➡ <u>달에 가면 몸이 둥둥 뜨게 마련인데, 이는 달에는 중력이 없기</u>
> <u>때문이다.</u>

> 관성   마찰력   부피   압력   **중력**   질량

❶ 종이에 연필로 글씨를 쓰다, 종이 표면에 글씨가 써지다,

이것은 종이 표면의 [   ]에 의해 연필심이 묻어나기 때문이다

➡ _____

_____

❷ 100m 달리기에서 전력 질주하다, 선수가 결승선을 통과한 후에도 곧바로

멈추지 못하고 얼마 동안 계속 달리다, 이는 [   ]이/가 작용해서이다

➡ _____

_____

❸ 비행기를 장시간 타고 가다, 얼굴이나 다리가 붓다, 이런 증상은 고도가 높아질

수록 [   ]이/가 낮아져 몸이 바깥 쪽으로 팽창하기 때문에 나타난다

➡ _____

_____

❹ 물 10g에 설탕 5g을 녹여 무게를 재 보다, 변함없이 15g이 나오다, 이는 설탕과

물의 [   ]이/가 그대로 보존되기 때문이다

➡ _____

_____

3 〈보기〉와 같이 아래의 어휘를 사용해 글을 완성하라.

> 보기
>
> 최근에는 <u>유전자</u> 검사를 통해 미래에 걸릴 가능성이 있는 병을 예측하기도 한다.

> 유전   유전되다   ~~유전자~~   유전병   우성   열성   돌연변이

아빠　　엄마

큰딸　　아들　　막내

'피는 못 속인다'라는 말이 있다. 가족이라면 누구나 피해갈 수 없는 ❶_____의 힘을 잘 설명한 말이라 할 수 있다.

성격이 달라서 만나기만 하면 티격태격하는 우리 가족. 그러나 같이 찍은 사진을 보고 있으면 웃음이 나지 않을 수 없다.

❷_____ 인자인 보조개는 우리 3남매 모두의 공통점이자 매력 포인트 중의 하나이다. 그러나 아버지의 멋있고 진한 쌍꺼풀은 큰 언니에게만 ❸_____, 어머니의 깨끗하고 고운 피부는 오빠가 그대로 물려 받았다. 그런데 내 얼굴을 좀 보라. 나는 ❹_____인지 아니면 부모님의 ❺_____ 인자만 받은 것인지 선남선녀인 언니, 오빠와 달리 얼굴도 별로이고 머리도 별로이다. 혹시, 자녀가 많아지면 이 유전의 법칙이 그 힘을 잃는 것은 아닐까?

4 〈보기〉와 같이 아래의 어휘를 사용해 문장을 완성하라.

보기

가: 어, 이상하다. 아까 물이랑 콜라를 냉동실에
　　같이 넣었는데 왜 콜라는 그대로지?
나: 그건 콜라의 **어는점**이/가 물보다 낮아서 그래.

기화　　　승화　　　~~어는점~~　　　액체　　　응고　　　끓는점　　　고체

❶ 가: 이거 영 보기 싫지? 넘어져서 생긴 상처에 딱지가
　　　졌어.
　　나: 야! 그런 소리 마. 혈액이 그렇게 _____돼서
　　　딱지가 생기지 않으면 계속 피가 흐를 텐데, 그게
　　　얼마나 무서울지 생각해 봤어?

❷ 가: 지금 종이 냄비로 라면을 끓이는 거야? 어머, 근데
　　　종이가 안 타네?
　　나: 신기하지? 종이와 물의 _____이/가 다르기
　　　때문에 가능한 거야.

❸  입국 심사가 까다로워지면서 10ml가 넘는 _____
류의 기내 반입이 금지되었다.

❹  시간이 지날수록 그릇에 있는 물이 점점 없어지는 것은
물이 _____되어 수증기가 되었기 때문이다.

❺ 상온에서 드라이아이스가 바로 연기가 되어 무대를
환상적으로 만드는 것이 바로 _____의 한
예이다.

문법

–게 마련이다

1 〈보기〉와 같이 아래의 어휘와 '–게 마련이다'를 사용해 문장을 완성하라.

> 보기
>
> 가: 계속 어두운 방에만 있었더니 눈을 못 뜨겠네요.
>
> 나: 갑자기 밝은 곳으로 나오면 눈이 부셔서 잘 안 보이게 마련이지요.

~~갑자기 밝은 곳으로 나오다~~	~~눈이 부셔서 잘 안 보이다~~
상온에 물을 그냥 두다	마음에서 멀어지다
눈에서 멀어지다	주름이 생기다
진실을 말하다	물이 증발하다
나이가 들다	벌이 모이다
꽃이 있다	통하다

❶ 가: 얼굴에 주름이 자꾸 늘어서 걱정이에요.

　 나: ＿＿＿＿＿＿＿＿＿＿＿＿＿＿＿＿＿＿＿＿＿＿＿.

❷ 가: 며칠 전에 가져다 놓은 물이 다 말라 버렸네요.

　 나: ＿＿＿＿＿＿＿＿＿＿＿＿＿＿＿＿＿＿＿＿＿＿＿.

❸ 가: 그 여자, 정말 못 잊을 거라고 생각했는데 이젠 얼굴도 기억이 안 나.

　 나: 그래. ＿＿＿＿＿＿＿＿＿＿＿＿＿＿＿＿＿＿＿＿＿.

❹ 가: 솔직하게 말하면 정말 혼날 줄 알았는데 오히려 날 이해해 주셨어.

　 나: ＿＿＿＿＿＿＿＿＿＿＿＿＿＿＿＿＿. 네 마음이 잘 전해 졌나 봐.

❺ 가: 역시 ＿＿＿＿＿＿＿＿＿＿＿＿＿＿＿＿＿＿＿＿＿.

　 나: 그게 무슨 소리야?

　 가: 내가 들어오니까 남자들이 우르르 몰려들잖아.

✎ −ㄹ까요

1 〈보기〉와 같이 **정답** 이 나올 수 있도록 '−ㄹ까요'를 사용해 질문을 만들라.

> **보기**
>
> 물체의 크기를 확대해서 보다
>
> **문제** 물체의 크기를 확대해서 보려면 무엇이 필요할까?
>
> **정답** 현미경

❶ 건조한 실내의 습도를 높이기 위한 기계

문제 _____

정답 가습기

❷ 비만도 유전이 되다

문제 _____

정답 그렇다

❸ 하루 중 기온이 가장 높다

문제 _____

정답 오후 2시

❹ 뜨거워진 공기는 위로, 차가워진 공기는 아래로 내려가다

문제 _____

정답 온도가 공기의 밀도에 영향을 주기 때문에

❺ 별의 색깔이 다른 색으로 보이다

문제 _____

정답 표면의 온도가 달라서

❻ 우리 반에서 나를 좋아하다

문제 _____

정답 지금 옆에 있는 사람

1 밥을 먹으면 졸음이 오는 이유에 대해 설명해 보자.

1) 어떤 내용을 어떤 순서로 발표해야 할지 개요를 생각해 보라.

2) 다음은 발표의 시작과 끝 부분이다.

시작	저는 밥을 먹으면 졸음이 오는 현상에 대해 조사해 봤습니다. 이러한 현상은 인간이라면 누구나 경험하는 것입니다. 그 이유를 기분이 좋아지고 마음이 느긋해졌기 때문이라고 말할 수도 있겠지만, 생리적으로는 이렇게 설명할 수 있습니다.
끝	제가 준비한 내용은 여기까지입니다. 발표와 관련하여 질문이나 덧붙일 내용이 있으시면 이야기해 주십시오. 없으시면 이것으로 발표를 마치겠습니다. 들어 주셔서 감사합니다.

3) 다음은 가운데 부분에 올 수 있는 내용이다. 개요를 참고하여 가운데 부분을 완성해 보라.

- 소화시키기 위해 위가 열심히 움직임
- 위로 많은 양의 피가 모이게 됨
- 위에 많은 피가 모이면 뇌 부분으로 흐르던 피의 양이 상대적으로 줄어듦
- 뇌의 활동이 둔해짐

4) 이야기한 후에는 내용을 써서 다시 확인해 보라.

쓰기

1 '아이스크림의 비밀'이라는 제목으로 발표를 하기 위해 작성한 메모이다. 메모를
보고 내용을 정리해 쓰라.

주제: 아이스크림의 비밀

사람들은 주로 여름에 시원함을 느끼기 위해서 아이스크림을 먹음. 그런데 정말 시원할까?

아이스크림을 먹을 때 그 당시에는 시원하나 후에는 오히려 갈증이 길어짐.

아이스크림의 당은 물을 더 요구함.
땀으로 인해 수분뿐만 아니라 전해질도 손실되므로 전해질도 같이 보급해야 갈증이 해소됨. 그러나 아이스크림에는 이 기능이 없음.

갈증 해소를 위해서는 물이나 이온 음료가 더 효과적임.

---

1 다음은 알비노 증상을 설명하는 글이다. 잘 읽고 질문에 답하라.

> 자연에 속한 모든 생명체는 자연에 동화될 수 있는 보호색을 가지고 태어난다. 강한 동물들은 다른 동물을 포획하게 위해서, 약한 동물들은 잡아 먹히지 않기 위해 보호색이 필요하다. 그러나 이 세상에는 정상적인 것만 존재하는 것은 아니다. 다양한 원인과 요소들로 인해 돌연변이 등이 발생하기도 한다.
>
>
>
> 멜라닌 색소 부족과 같은 원인으로 집단의 다른 개체와는 다르게 자연에서 보호를 받지 못하는 흰색을 가진 생명체들이 있다. 흔히 이들을 알비노라고 한다.
>
> 알비노(albino)란 선천적으로 피부, 모발, 눈 등의 멜라닌 색소가 결핍되거나 결여된 비정상적인 개체를 말한다. 라틴어로 '하얗다'라는 의미의 단어 '알부스(albus)'에서 유래한 말로 우리 말로는 흔히 '백색증'이라고 부른다. 사람들도 이런 알비노 현상을 가지고 태어나기도 하는데, 다른 동물들과 유사하게 머리부터 발끝까지 흰색이다. 이런 사람들은 햇빛에 오래 노출되어도 피부가 검게 그을리지 않고 흰색을 유지한 채 화상을 입기도 한다. 또한 눈동자의 색깔도 진한 분홍색이나 적색을 띄는데, 이렇게 되면 외부로부터 들어오는 빛의 양을 조절하기 힘들어 눈이 부시는 현상을 경험하게 된다.
>
> 알비노들은 자연환경 속에서 그 생명력을 오래 가져갈 수 없다는 약점을 가지고 있어 결국 도태될 수밖에 없는 운명을 받아 들이게 된다.

1) '알비노'란 무엇인가?

2) 인간이 알비노증에 걸리게 되면 나타나는 증상으로 맞는 것을 고르라.

   ❶ 주로 백인들에게서 자주 나타난다.

   ❷ 피부가 햇빛에 노출되면 쉽게 그을린다.

   ❸ 피부의 색은 엷어지고 눈동자 색은 진해진다.

   ❹ 눈동자가 외부로부터 오는 빛의 양을 잘 조절하지 못한다.

제7과 도시와 사람

학습 목표
도시의 특징을 이해하고 살기 좋은 도시의 조건에 대해 이야기할 수 있다.

주제	도시와 사람
기능	도시의 특징 설명하기, 살기 좋은 도시의 조건 이야기하기
연습	**어휘** : 사는 곳, 도시의 특징, 도시 묘사, 살기 좋은 도시의 조건
	문법 : -다가 보면, -이자
	말하기 : 살고 있는 도시에 대해 이야기하기
	쓰기 : 살기 좋은 도시에 대한 설명문 쓰기
	읽기 : 브라질 쿠리치바에 대한 글 읽기

제7과 도시와 사람

1 다음을 관계있는 것끼리 연결하라.

❶ 계획도시 ·

· **ⓐ** 명승지나 사적, 사찰, 온천 등의 관광 자원을 바탕으로 발달한 도시이다.

❷ 공업 도시 ·

· **ⓑ** 도시의 건전한 발전과 질서 있는 정비 를 위해 계획적으로 건설된 곳이다.

❸ 교육 도시 ·

· **ⓒ** 다른 도시에 비해 상업 활동이 활발하며 비교적 상업 관계 종사자의 비율이 높은 도시이다.

❹ 관광 도시 ·

· **ⓓ** 항구가 있는 바닷가 도시로 물자 유통의 유리한 조건을 가져 유동 인구가 많다.

❺ 산업 도시 ·

· **ⓔ** 도시의 여러 기능 중 공업 기능이 가장 탁월하며 인구의 60%이상이 제조업 종사자인 곳이다.

❻ 상업 도시 ·

· **ⓕ** 대학, 박물관, 연구소 등이 밀집되어 있어 학술 연구의 중심이 되는 도시 이다.

❼ 항구 도시 ·

· **ⓖ** 도시를 기능상 구분할 때, 경제적 측면에서 생산적 기능이 주가 되는 도시로 광산업, 임업, 수산업, 공업 따위를 주산업으로 한다.

2 〈보기〉와 같이 아래의 어휘를 사용해 문장을 완성하라.

> **보기**
>
> 가: 이사하실 거라면서요? 특별히 신경 쓰고 있는 부분이 있으세요?
> 나: 당연히 <u>교육 시설</u>이죠. 아이들 둘 다 학교에 다니니까요.

~~교육 시설~~	교통 체증	복지	상하수도 시설
소음		의료 시설	치안

❶ 가: 갑작스러운 지진으로 그곳 사람들의 생활이 말이 아닌 것 같습니다.

  나: 특히 _____이/가 부족해 다친 사람들을 제대로 치료할 수

      없다는 게 가장 심각한 문제입니다.

❷ 가: 급격한 경제 성장을 이룬 인도의 경우 늘어나는 자동차로 인해

      _____이/가 날이 갈수록 심각해지고 있대요.

  나: 도로가 먼저 정비되었어야 하는데……. 준비가 부족했던 거죠.

❸ 가: 더 이상은 이렇게 못 살겠어요. 이제는 소리 때문에 머리가 깨질 지경이에요.

  나: 맞아요. 이런 _____ 문제를 빨리 해결해 달라고 구청

      홈페이지에 건의를 해야겠어요.

❹ 가: 와, 여기에 언제 이렇게 많은 가로등이 설치가 됐지? 한밤에도 동네가

      훤하네. 전기 요금이 만만치 않겠다.

  나: 그건 그런데 난 _____을/를 위해서는 필요하다고 봐.

      무엇보다 사람들의 안전이 최고 아니겠어?

❺ 가: 이번 선거에 출마한 사람들의 공통적인 공약이 뭐예요?

  나: _____ 정책에 관심이 큰 것 같아요. 노인 센터나 아이들

      무상 급식 문제가 최고의 화두로 떠올랐잖아요.

3 〈보기〉와 같이 아래의 어휘와 '–다는 느낌을 받다'를 사용해 문장을 완성하라.

보기

이곳은 잿빛 아파트 단지가 늘어서 있어서
삭막하다는 느낌을 받아요.

낭만적이고 여유롭다   복잡하다   부속물 같다
비인간적이고 우울하다   ~~삭막하다~~   생기 있고 활기차다
편리하다

❶

이곳에서는 항상 거리 공연이 펼쳐져

_____.

❷

이곳은 항상 자동차 행렬이 꼬리에 꼬리를 물어

_____.

❸

도시에서의 생활은 인간관계가 단절되어

_____.

❹

밤이 되면 이곳에서는 휘황찬란한 야경을 볼 수 있어

_____.

❺

여기에는 각종 위락 시설이 구비되어 있어

_____.

4 〈보기〉와 같은 아래의 어휘와 '-지 않는 한'을 사용해 문장을 완성하라.

> **보기**
>
> 가: 이곳의 오염도는 다른 도시에 비해 상당히 높은 편이지요?
>
> 나: 네. 오염 문제를 해결할 수 있는 대책을 빨리 <u>마련하지 않는 한</u>
> 살기 좋은 도시가 되기는 어려울 겁니다.

> 노후된 상하수도 시설을 개선하다   ~~마련하다~~
> 시민 의식이 높아지다   시설을 갖추다
> 언론의 자유가 보장되다   인구 집중을 막다
> 휴양 시설을 짓다

❶ 가: 도심 속에서 쉴 만한 공간이 부족하다고 들었는데요.

　 나: 맞습니다. 시민들이 여가 생활을 즐길 만한 ＿＿＿＿＿＿＿＿＿ 좋은
　　　 도시가 되기는 어렵습니다.

❷ 가: 도시 곳곳이 꽤 복잡하군요. 인구 밀도가 높은 것 같습니다.

　 나: 그로 인한 문제가 적지 않은데요. ＿＿＿＿＿＿＿＿＿ 여유로운
　　　 도시가 되기는 어렵겠죠.

❸ 가: 우리 마을이 이번 홍수에도 많은 피해를 봤습니다.

　 나: 네. ＿＿＿＿＿＿＿＿＿ 피해는 계속 반복될 것입니다.

❹ 가: 내 집 앞에 있는 눈도 치우지 않아 미끄러지는 사고가 빈번히 일어난다고
　　　 합니다.

　 나: 정말 큰일입니다. ＿＿＿＿＿＿＿＿＿ 그런 문제는 계속될 것입니다.

❺ 가: 반상회에서 있었던 일 들었어요? 동네 주민들이 자기 의견도 자유롭게
　　　 말하지 못한다니, 그게 뭡니까?

　 나: 그러게요. 작은 지역에서부터 ＿＿＿＿＿＿＿＿＿ 어디서도 자유롭게
　　　 의견을 교환하기 힘들 거예요.

✏️ **–다가 보면**

1 〈보기〉와 같이 잘못 쓴 부분을 고쳐 쓰라.

> 이 지긋지긋한 소음 스트레스에서 벗어날 수 있는 방법은 계속 살다가
> 보면 <u>생겼습니다</u>.
> ➡ 생길 것입니다

① 시골에서 지내다가 보면 무공해 채소를 어렵지 않게 <u>먹을 수 있었는데</u>, 이는
시골 생활의 특권입니다.

② 위생 문제를 계속 소홀히 여기다가 보면 이곳은 넘쳐나는 쓰레기로 인한 악취가
<u>사라질 겁니다</u>.

③ 지금처럼 무엇이든지 아껴 쓰고 절약하면서 <u>결혼하다가 보면</u> 10년 이내에 내 집
마련의 꿈을 이룰 수 있을 겁니다.

④ 청소년들의 모방 범죄가 줄어들지 않고 있는데, 이는 폭력적인 영상 매체로부터
<u>계속 노출되다가 보면</u> 해결할 수 있다고 봅니다.

⑤ 음반 사전 심의에 대해 음반 관계자들의 불만이 이만저만이 아닌데 그들의
의견을 듣다가 보면 서로 합의점을 <u>찾았습니다</u>.

⑥ 여행을 떠나 낯선 곳에서 지내다 보면 익숙한 생활 속에서는 알지 못했던 자신의
새로운 모습을 발견하는 <u>경우가 종종 있었습니다</u>.

✏️ –이자

1 〈보기〉와 같이 아래의 어휘와 '–이자'를 사용해 문장을 완성하라.

> **보기**
>
> 대전은 한국의 대표적인 과학 도시이다. ☐☐☐☐ ,
> 학술 연구의 중심지라는 평가를 받고 있다.
>
> ➡ 대전은 한국의 대표적인 과학 도시이자 교육 도시로 학술 연구의
> 중심지라는 평가를 받고 있다.

> ~~교육 도시~~   졸업식   공공의 일   소설가
>   스승   단점   휴양 도시

❶ '물의 도시'라고 불리는 이탈리아의 베니스는 항구 도시이다. ☐☐☐☐ ,
많은 이들이 가고 싶어하는 곳이다

➡ _____

_____

❷ 초고층 건물이 많이 들어서 있다는 것이 그 도시의 장점이다. ☐☐☐☐ ,
사람들마다 평가가 다르다

➡ _____

_____

❸ 다음 달 27일은 우리 형의 생일이다. ☐☐☐☐ , 다른 때보다 좀 더 큰 선물을
준비하려고 하다

➡ _____

_____

❹ 이번 영화제에서 각본상을 받은 이창동 씨는 영화감독이다. ☐☐☐☐ ,
한국 문화계에 끼친 영향이 매우 크다

➡ _____

_____

말하기

1 자신이 살고 있는 도시의 장단점과 특징에 대해 말하려고 한다. 제시된 두 가지
대답 중 맞는 것을 골라 대화를 완성하라.

❶ 마이클 씨는 지금 살고 있는 곳에 만족해요?

 ⓐ 그럭저럭 지낼 만한데 주차 문 제는 빨리 해결이 되었으면 해 요. ⓑ 네, 제가 살고 있는 곳은 우리 나라의 수도인데 여러 가지로 괜찮은 것 같아요.

❷ 어떤 면이 그렇게 마음에 드는데요?

 ⓐ 대도시지만 삭막하지 않고 여 유 있는 사람들의 모습이 마음 에 들어요. ⓑ 인간미가 좀 부족하고 도시의 부속물이 된 것 같은 느낌을 받을 때가 있어요.

❸ 그렇군요. 큰 도시라면 복잡할 것 같은데, 다른가 보군요.

 ⓐ 맞아요. 도시지만 인간미가 있 다는 게 가장 큰 장점이죠. ⓑ 휘황찬란한 야경을 한 번 보면 생각이 달라질 거라고 봅니다.

❹ 마이클 씨 얘기를 들으니 한번 가 보고 싶어지네요.

 ⓐ 언제든 환영이지만 도시와 같 은 편의 시설은 기대하지 마십 시오. ⓑ 직접 보시면 도시의 외관과 삶 의 모습 모두가 얼마나 매력적 인지 알게 되실 겁니다.

❺ 그럼, 앞으로 더 살기 좋은 도시로 만들기 위해 어떤 노력이 필요하다고 보세요?

 ⓐ 지금처럼 자동차 사용을 줄이 지 않는 한 깨끗한 환경을 갖 추기는 어려울 것 같아요. ⓑ 인구가 많은 도시니까 주택 공 급의 문제가 먼저 해결되었으 면 합니다.

쓰기

1 살기 좋은 도시에 대해 알아보고 이를 소개하는 글을 써 보자.

1) 살기 좋은 도시에 대한 자료를 찾아보라.

2) 찾은 자료를 정리하여 어떻게 글을 쓸지 구상해 보라.

처음	
중간	
끝	

3) 구상한 내용을 바탕으로 글을 쓰라.

1. 다음은 '꿈의 도시'로 불리는 브라질의 쿠리치바를 소개하는 글이다. 잘 읽고 질문에 답하라.

꿈의 도시, 브라질 쿠리치바

아열대성 기후 지역에 속하는 쿠리치바는 브라질 남부의 대서양 연안 파라나 주의 주도이며 상파울루로부터 400km쯤 떨어진 도시이다. 여름 평균 기온은 20.4℃, 겨울 평균 기온은 12.7℃로 아름답고 쾌적한 곳이다. 또한 쿠리치바는 남부 브라질에서 가장 많은 인구와 가장 큰 경제권을 가지고 있으면서도 도시 내 공원 녹지 비율이 세계 2위로 환경 보존에서도 세계 최고이다. 그러나 무엇보다도 쿠리치바를 세계에 알린 대표적인 정책은 '지상의 지하철'이다. 쿠리치바에서는 버스가 지하철이다. 교통난으로 대책을 강구할 때, 세계의 대도시들은 무심코 지하철을 건설했다. 지하철의 최대 장점은 신호등이 필요없다는 것이고, 최대 단점은 국민의 세금을 땅을 파서 그냥 들이붓는다는 점이다. 쿠리치바는 최대 장점과 최대 단점에만 주목했다. 지하철처럼 논스톱으로 달릴 수만 있다면 땅을 파지 않아도 될 것 아닌가. 쿠리치바의 '지상의 지하철'은 그렇게 태어났다.

㉮쿠리치바의 교통 시스템을 간략하게 설명하면 이렇다. 먼저 중심부에서 외곽으로 뻗은 다섯 갈래의 도로를 간선 도로로 삼았다. 간선 도로에는 전용 차선을 설치하여 버스에 돌파력을 부여하였다. 간선 도로 주변 지역은 자유롭게 건물을 짓도록 허가하고, 도로에서 떨어진 지역에는 저층 건물만을 허용함으로써, 사람들이 도로를 따라 밀집하도록 만들어 자가용의 수요 자체를 희석시켰다. 그리고 버스를 마음껏 갈아탈 수 있도록 환승 터미널 시스템을 발전시켰다. 티켓은 환승 터미널 입구에서 미리 체크를 함으로써 버스 입구에서 머뭇거리는 시간을 없앴다. 쿠리치바 도심 사진에서 흔히 보이는 유리로 만든 원통형 조형물이 바로 버스 환승 터미널이다. 터미널 주위에는 간단한 서류를 발급해 주는 관청과 입출금 등 긴급 업무를 볼 수 있는 간이 은행, 시중 가격보다 30%쯤 저렴한 시 직영 시장 등을 입지시켰다. 그리고 버스가 반드시 필요한 서민들을 위해 손님이 많든 적든 쿠리치바에서는 필요한 노선이면 반드시 버스가 달린다. 운송비를 승객수에 비례해서 받는 것이 아니라 운행 거리에 맞춰서 받기 때문에 비인기 노선이 있을 수가 없다. 지하철 건설비의 1/80~1/100 예산으로 '지상의 지하철'을 개발해, 지하철이 있는 도시보다 효율적인 교통망을 건설했으니, 세계 최고의 교통 체계라는 칭송이 과연 명불허전이다. 게다가 정말 놀라운 것은 이것들이 전부 1970년대에 나온 아이디어였다는 사실이다.

—이하 생략—

〈꿈의 생태도시, 브라질 꾸리찌바(Guritiba)〉 송준(작가/저널리스트)

1) 쿠리치바의 환경에 대한 설명으로 맞는 것을 모두 고르라.

    ❶ 아열대 기후 지역에 속한다.

    ❷ 도시 내 녹지 비율이 세계에서 가장 높다.

    ❸ 경제 발달로 인한 고질적인 오염 문제가 있다.

    ❹ 여름과 겨울의 평균 기온이 7~8℃ 정도 차이가 난다.

2) ㉮의 예를 글에서 찾아 설명하라.

1 아래의 설명을 읽고 퍼즐을 완성하라.

1 a					b				2d				
				3		c					f		e
4													
	5		g					6h					
					i								
	7												j
k				8l							9m		
10							n						
		11				12							
										13			
			o		14p		q						
r										15s		t	
	16u												
17													

〈가로 열쇠〉

1. 얼음 위에서 스케이트를 타고 하는 경기. 고무로 된 퍽을 쳐서 상대방의 골대에 넣으면 승리.

2. 빈틈없이 빽빽하게 모여 있다.

3. 힘이 넘치고 생기가 가득하다.

4. 기체가 액체로 변하는 현상.

5. 소리로 인해 사람이나 동물이 심리적·신체적으로 겪게 되는 피해.

6. 보통 100m 정도의 짧은 거리를 달리는 경기.

7. 판단하여 결정하다. 두 선수의 실력이 비슷해 심판이 ○○○○.

8. 딱딱하지 않고 부드러운 성질. ○○○을 키우기 위해서는 운동을 꾸준히 해야 한다.

9. 운동 경기 등을 구경하기 위해 모인 사람들.

10. 원운동을 하는 물체가 원의 바깥으로 나가려고 하는 힘. 세탁기로 빨래를 하는 것은
    ○○○을 이용한 것이다.
11. 높은 산에 올라갔을 때 낮아진 기압 때문에 일어나는 병적인 증상.
12. 하늘을 찌를 듯이 솟은 아주 높은 건물.
13. 병원이나 진료소와 같이 의사가 진찰이나 치료를 하는 곳.
14. 물에서 하는 운동 경기.
15. 사람들이 살 수 있는 집을 제공하는 것.
16. 심리적인 자극을 받아 마음이 순간적으로 조금 흥분되고 떨리다.
17. 어떤 일에 실패하거나 싸움이나 경기에서 지다.

〈세로 열쇠〉

a. 사람이 호흡을 할 때 몸 밖으로 내보내는 것.
b. 스포츠에서 공을 가지고 하는 모든 경기를 말함.
c. 수영에서, 높은 곳에서 뛰어 머리를 먼저 물속에 잠기게 하여 들어가는 것을 겨루는 경기.
d. 서울은 좁은 곳에 너무 많은 사람이 살아 인구 ○○가 높다.
e. 제자리에 서거나 일정한 지점까지 도움닫기를 하여 최대한 멀리 뛰어 그 거리를 겨루는 경기.
f. 금으로 만들거나 금으로 도금한 것으로 경기에서 우승한 사람의 목에 걸어 주는 것.
g. 아무것도 없이 텅 비다.
h. 단순하고 변화가 없어 새로운 것이 없다.
i. 사물이 한쪽으로 기울지 않고 안정되어 있는 것.
j. 여러 사람 가운데서 특별히 두드러지다. ○○한 외모.
k. 운동 경기 등에서 선수들이 힘을 낼 수 있도록 도와주다.
l. 유전에 의해 자손에게 전해지는 병.
m. 관광 자원을 기반으로 발달한 도시.
n. 사람이 말을 타고 하는 경기.
o. 쓸쓸하고 막막하다. 인간관계가 단절된 현대인의 삶이 이런 느낌을 줌.
p. 모든 물질 가운데 가장 가벼운 기체로 빛깔과 냄새와 맛이 없음. 물을 구성하는 것 중 하나.
q. 스키를 타고 인공으로 만든 급경사면을 활강하여 내려오다가 도약대로부터 직선으로 허공을
   날아 착지하는 경기.
r. 경기에서 이기고 있다가 성적이 바뀌어서 지는 것.
s. 공간은 좁은데 차량은 너무 많아 주차를 하기 어려운 것.
t. 단체 경기에서 공격을 기본적인 임무로 하는 선수.
u. 감독의 역할. 경기 전에 작전을 ○○.

2 다음 밑줄에 알맞은 말을 〈보기〉에서 골라 쓰라.

> 보기
>
> 어깨가 무겁다   어깨가 가볍다   어깨가 처지다
>
> 어깨를 겨루다   어깨에 힘을 주다

1) 가: 기원아, 무슨 걱정이라도 있니? 왜 _____?

    나: 혜정이가 어제부터 계속 제 전화를 안 받아요. 그저께 제가 좀 심한 말을 했는데 화가

        단단히 난 모양이에요.

2) 가: 역시 사람 일은 모르는 거야. 우정이가 사법 고시에 합격할 줄 누가 알았겠어?

    나: 누가 아니래. 한동안 계속 풀 죽어 있는 게 보기 안 좋았는데 이젠 _____

        다녀도 되겠네.

3) 가: 제안서를 열심히 쓰긴 했는데 우리 팀 게 뽑힐지 모르겠어요.

    나: 걱정 마. 그리고 다들 이 분야에서 우리 팀과 _____ 팀은 없다고 하더라고.

4) 가: 어르신. 막내 아들까지 장가를 보내셨으니 이제 한결 _____?

    나: 네, 한시름 놓았지요, 뭐.

3 다음 밑줄에 알맞은 말을 〈보기〉에서 고르라.

> 보기
>
> ⓐ 보글보글   ⓑ 덜덜   ⓒ 둥둥   ⓓ 주렁주렁

1) 가: 와, 이게 무슨 냄새예요? 엄마, 제가 좋아하는 된장찌개 끓이신 거예요?

    나: 어, 우리 민아 왔구나. 엄마가 민아 주려고 _____ 맛있게 끓여 놨지.

2) 가: 이렇게 누워서 하늘을 보니까 정말 좋다.

    나: 그렇지? 구름이 _____ 떠 있는 거 보니까 나도 어디론가 떠나고 싶다.

3) 가: 주말에 농촌 체험을 하셨다면서요? 힘들지 않았어요?

   나: 힘들기는요. 포도 송이가 _____ 달려 있는 모습이 얼마나 예쁘던지 힘든 줄도 모르고 하루를 보냈어요.

4) 가: 어제 너무 무리했나 봐요. 손이 _____ 떨리는 게 숟가락도 들기가 힘드네요.

   나: 그 많은 일을 혼자 하신 거예요? 저라도 좀 부르시지 그러셨어요.

4 다음 밑줄에 알맞은 말을 〈보기〉에서 골라 쓰라.

보기		
머리가 가볍다	머리를 맞대다	머리를 쥐어짜다
꼬리가 길다	꼬리를 내리다	꼬리에 꼬리를 물다

1) 가: 오늘 결승전을 준비하고 있는 잠실 구장에 이재혁 기자가 나가 있습니다. 이재혁 기자!

   나: 네. 아직 시합이 시작되기까지 시간이 좀 남았지만 관중들의 줄이 _____ 늘어서 끝이 보이지 않습니다.

2) 가: 경화야, 나 커피 좀 사다 줄래? 아무리 _____ 좋은 아이디어가 떠오르지를 않는다. 계속 잠만 오고 말이야.

   나: 그러지 말고 낮잠을 좀 자. 쉬고 나면 좋은 생각이 날 수도 있잖아.

3) 가: 나 이제 게임하면 안 돼. 지난 주말에 엄마한테 걸려서 엄청 혼났거든.

   나: _____ 잡힌다고 하더니, 조심하지 그랬어.

4) 이번 과제에서는 여러분이 다른 사람들과 얼마나 잘 협력해서 일을 하는지도 보는 거니까 꼭 동료들과 _____ 고민해서 과제를 완성하기 바랍니다.

제8과 경제생활

학습 목표
경제 상황을 이해하고 스스로의 경제생활에 대하여 이야기할 수 있다.

주제	경제생활
기능	소비 생활에 대해 이야기하기
	소비자 경제에 대하여 이야기하기
연습	어휘 : 경제 관념, 생활비의 종류, 수입 관리 방법, 경제 지표
	문법 : -리라, A라든가 B 같은 C
	말하기 : 소비 생활에 대해 이야기하기
	쓰기 : 환율과 경제생활에 대한 글쓰기
	읽기 : 환율에 대한 글 읽기

제8과 경제생활

어휘와 표현

1 그림을 보고 알맞은 말을 연결하라.

①
    •

②
    •

③
    •

④
    •

⑤
    •

• ⓐ 낭비가 심하다

• ⓑ 흥청망청하다

• ⓒ 근검절약하다

• ⓓ 인색하다

• ⓔ 손이 크다

2 〈보기〉와 같이 아래의 어휘를 사용해 문장을 완성하라.

> 보기
>
> 가: 또 등록금이 오른다고요?
>
> 나: 네. **학비**가 이렇게 오르니 돈 없는 애들은 공부를 하고 싶어도
> 못 하겠어요.

> 통신비   유흥비   문화비   교통비   주거비   ~~학비~~   식비

❶ 가: 또 집까지 걸어가? 힘들지 않아?

　　나: 30분 정도인데, 뭐. 운동도 하고 _____도 아낄 수 있어서 정말 좋아.

❷ 가: 한 회사에 전화랑 인터넷을 함께 신청하면 _____를 상당히 줄일 수
　　있나 봐.

　　나: 나도 전화 요금이 너무 많이 나와서 벌써 가입했어.

❸ 가: 애들이 많으니 먹는 데도 돈이 많이 들겠어요.

　　나: 안 그래도 애들이 하도 먹어 대서 한 달에 드는 _____만 해도
　　50만 원이 넘어요.

❹ 가: 여보, 어제 술값 또 당신이 계산했어요? 당신이 한 달에 _____로
　　쓰는 돈이 얼만 줄 알아요?

　　나: 오랜만에 친구들을 만났더니 하도 기분이 좋아서 그랬어.

❺ 가: 월세 외에 전기 요금, 수도 요금 같이 추가적으로 드는 _____는
　　어느 정도일까요?

　　나: 글쎄요. 쓰기 나름이라 말씀드리기 힘드네요.

3 〈보기〉와 같이 아래의 어휘를 사용해 문장을 완성하라.

> 보기
>
> 가: 이번 달에 우리 적자예요.
>
> 나: 지난 주 아버지 생신도 있었고, 갑자기 차가 고장 나는 바람에 차
> 수리도 했잖아요. 생각지도 못한 **지출**이/가 생겨서 그런 거니까 너무
> 걱정하지 마세요.

> 금리   물가   소비   잔고
>   재테크   **지출**   투자

❶ 가: 서울이 전 세계 주요 도시 중에서 _____이/가 38번째로 비싼
　　 곳이래.

　 나: 과일이며 채소며 이렇게 비싼데 서울보다 비싼 곳이 37군데나 있다고?

❷ 가: 전 월급 가지고는 생활하기 힘들 것 같아서 앞으로 주식 _____
　　 좀 해 보기로 했어요.

　 나: 그래요? 전 주식은 불안해서 싫어요.

❸ 가: 아니, 왜 자꾸 한숨이야? 뭐 속상한 일이라도 있어?

　 나: 월급 받은 지 1주일도 안 됐는데 통장에 _____이/가 별로
　　 없더라고요. 월급날까지 아직 한참 남았는데 어떻게 살아야 할지…….

❹ 가: 예금 _____을/를 또 내린다면서요? 그래 가지고 누가 은행에
　　 돈을 넣어 놓겠어요?

　 나: 그러게 말이에요. 그러니 다들 돈 생기면 주식이니 뭐니 하는 거겠지요.

❺ A: 제 주변에는 _____을/를 안 하는 사람이 없는데, 저는 어떻게
　　 해야 할지 모르겠어요.

　 B: 너무 어렵게만 생각하지 마세요. 통장을 용도에 따라 나눠서 관리하는 것도
　　 _____(이)니까요.

4 〈보기〉와 같이 알맞은 어휘를 고르고, '–지 않을까 생각되다'를 사용해 문장을 완성하라.

> 보기
>
> ~~뛰다~~, 하락하다
> 국제 유가가 갑작스레 오르면서 소비자 물가도 <u>뛰지 않을까 생각됩니다</u>.

❶ 변동이 없다, 상승하다

상반기에는 국제 유가의 영향으로 물가가 오르락내리락했지만 하반기에는 유가가 안정되면서 물가에 큰 _____.

❷ 급락하다, 오르다

동남아시아의 자동차 수요가 증가 추세를 보이고 있는 데다가 타이어 가격도 인상되어 넥슨, 한국 등 국내 타이어 회사의 주가가 당분간 _____

_____.

❸ 안정세를 보이다, 급등하다

최근 수도권 지역에 대규모 아파트 단지가 차례차례 완공됨에 따라 급등했던 서울 지역의 전셋값이 조금씩 _____.

❹ 제자리걸음을 하다, 호황을 맞다

애초 정부는 올해의 경제 성장률을 5%대로 내다 봤으나 전 세계적으로 불경기가 지속되면서 우리 경제도 당분간 _____.

❺ 인하되다, 인상되다

경기가 회복되면서 회사의 매출도 늘어났습니다. 그동안 동결됐던 임금이 이제는 _____.

✎ **–리라**

1 〈보기〉와 같이 아래의 어휘와 '–리라'를 사용해 문장을 완성하라.

> 보기
>
> 경기가 좋아지면서 신입사원을 고용하는 회사가 **늘어나리라** 봅니다.

> 늘어나다   모르다   쉽지 않다   심해지다
> 알고 있다   별일 아니다   훌륭하다

❶ 현재 이곳은 경제적으로나 정치적으로 좋지 않은 상황입니다. 국내에 계시는
여러분들도 인터넷이나 TV방송을 통해 이곳 사정에 대해서 _____
짐작됩니다.

❷ 어머니가 갑자기 복부 통증을 호소하셔서 병원에 모셔 왔다. 여러 가지 정밀
검사를 받았는데 예감이 영 좋지 않다. _____ 믿고 싶지만 너무
불안하다.

❸ 지구 곳곳에 가뭄과 홍수 등 자연재해로 인한 피해가 심각하다. 그런데 이러한
자연재해가 앞으로 더욱 _____ 보는 전문가들이 많다.

❹ 사회적 지위가 높다고 해서 그 사람의 됨됨이도 _____ 여겨서는
안 된다. 사회적 지위와 인격이 그다지 상관없는 경우도 있기 때문이다.

❺ 한국어와 아랍어는 표기 방법부터 문법 체계까지 전혀 다르다. 그래서 유학
오기 전부터 배우기 _____ 예상은 하고 있었지만 이 정도로 어려울
줄은 몰랐다.

✏ A라든가 B 같은 C

1 〈보기〉와 같이 'A라든가 B 같은 C'를 사용해 문장을 완성하라.

> **보기**
>
>
>
> 가: 오늘 저녁에는 뭘 먹을까?
>
> 나: <u>죽이라든지 국수 같은 가벼운 음식을 먹자</u>.

❶

가: 주로 어디에 돈을 제일 많이 쓰세요?

나: _____

_____

❷

가: 경기가 안 좋아서 그런지 저 같은 서민들은 더 살기가 힘드네요.

나: _____

_____

정말 걱정이에요.

❸

가: 어떻게 그렇게 돈을 많이 모았어요?

나: _____

_____

❹

가: 여기에는 어느 나라에서 온 사람들이 많아요?

나: _____

_____

❺

가: 여자 친구한테 어떤 선물을 해 주는 게 좋을까요?

나: _____

_____

1 소비 생활에 대해 이야기하고 있다. 제시된 두 가지 대답 중 맞는 것을 골라 대화를 완성하라.

가: 정민아, 무슨 걱정 있어? 아까부터 왜 그렇게 한숨이야?

나: 며칠 있으면 카드 결제일인데 아무래도 잔고가 부족할 것 같아서 그래.

가: 도대체 ❶ _____?

나: 지난달에 여행도 갔다 온 데다가 정장도 두세 벌 정도 샀더니 카드 요금이 많이 나왔더라고.

가: 그걸 지난달에 한꺼번에 다 했다고? 보기보다 ❷ _____.

나: 나도 내가 이런 줄 몰랐어.

가: 참, 너 저번에 주식 투자한다고 안 했어? 거기서 돈 좀 벌지 않았어?

나: ❸ _____. 벌기는커녕 손해만 봤어.

가: 야, 나는 네가 이렇게 ❹ _____. 너 물건 살 때 보면 가격도 일일이 비교하고 엄청 꼼꼼하게 따지잖아.

나: 그러게 말이야. 액수가 적을 때는 그렇게 하는데, 큰돈은 그냥 막 쓰게 되는 것 같아.

가: 내 생각엔 큰 액수일 때는 ❺ _____. 현금을 쓰지 않으니까 돈을 쓴다는 실감을 못 하는 거 아닐까?

나: 그래, 네 말이 맞는 것 같아. 그럼 아예 카드를 없애버릴까?

가: 음, 제대로 쓰지 못한다면 없애는 것도 방법이겠지. 하지만 내 생각엔 카드를 없애는 것보다 돈을 쓰기 전에 ❻ _____이 더 맞는 것 같다.

---

❶ ⓐ 무슨 카드를 만들었길래　　　ⓑ 얼마나 많이 썼길래

❷ ⓐ 손이 크구나　　　ⓑ 알뜰한 면이 있구나

❸ ⓐ 요즘 주가가 엄청 급락했잖아　　　ⓑ 주식으로 돈 많이 벌었잖아

❹ ⓐ 경제관념이 확실할 줄 알았어　　　ⓑ 경제관념이 없는 줄 몰랐어

❺ ⓐ 현금으로 직접 내서 그런 것 같아　　　ⓑ 카드로 결제해서 그런 것 같아

❻ ⓐ 지출 계획부터 세우는 것　　　ⓑ 지출을 완전히 줄이는 것

쓰기

1. 환율이 상승하거나 하락하면 국가 경제와 여러분의 생활 경제에 어떤 영향을 미치는지 글을 써 보자.

　1)　다음에 대해 메모해 보라.

	환율 상승	환율 하락
국가 경제		
나의 생활 경제		

　2)　메모한 것을 바탕으로 글을 써 보라.

1 다음은 환율에 대한 글이다. 잘 읽고 질문에 답하라.

지난해 초 겨울 휴가 때 해외여행을 계획했던 직장인 A씨. 하지만 마지막에 목적지를 제주도로 바꿨다. 주부 B씨도 미국으로 유학을 보낸 아들에게 송금을 하면서 한숨을 쉬었다. 사진을 찍는 취미를 가진 C씨 역시 카메라 렌즈를 바꾸려다 1달 만에 50% 가까이 뛴 가격에 깜짝 놀랐다. 이 모든 것이 다 환율 때문에 일어난 것이다. 지난해 하반기부터 원/달러 환율이 갑자기 오르면서 일상생활의 사소한 부분까지 흔들렸다. 도대체 환율이 무엇이길래!

◆**환율이 뭐야?** 환율은 다른 종류의 돈(예를 들면 미국 달러와 한국의 원화)을 바꿀 때의 교환 비율이다. 원/달러 환율이 1100원이라면, 1달러의 가격은 1100원이다. 그런데 환율은 매 순간 변한다. 달러 등 외환을 찾는 사람이 많아지기도 하고, 줄어들기도 하기 때문이다. 외국인 입장에서도 원화를 많이 찾을 때가 있고, 원화가 별로 필요하지 않을 때가 있다. 수요와 공급의 법칙을 생각하면 된다.

달러를 찾는 사람이 많아지면 환율이 상승하고, 반대의 경우 환율이 하락한다. 원화의 가치(혹은 가격)가 오르면 환율이 하락하고, 원화 가치가 떨어지면 환율이 오른다.

◆**환율이 바뀌면?** 환율 변동이 우리 삶에 미치는 영향은 상상 외로 크다. 우선 환율이 오르면 수입하는 물건의 가격이 올라간다. 원/달러 환율이 1000원일 때 미국에서 10달러짜리 물건을 수입하려면 1만 원이 필요하다. 그런데 환율이 2000원으로 오르면 이 물건의 한국 가격은 2만 원이 된다.

환율이 오르면 해외여행 갈 때 드는 비용도 늘어난다. 미국 여행을 위해 1000달러가 필요하다고 하자. 환율이 달러 당 1000원이면 100만 원을 환전하면 된다. 그런데 환율이 2000원으로 오르면 200만 원을 환전해야 1000달러를 받을 수 있다. 환율이 내리면 반대의 현상이 일어난다. 수입 제품의 가격은 싸지고, 환전 이후 손에 쥘 수 있는 외환도 늘어난다.

그렇다면 환율이 낮을수록 좋을까. 꼭 그런 것만은 아니다. 환율이 내려가면 수출에 타격이 올 가능성이 크다. 예를 들어 A라는 기업은 1만 원짜리 상품을 만들어 수출한다. 환율이 달러 당 1000원일 때, 상품은 개당 10달러다. 그런데 환율이 내려 달러 당 500원이 되면, 상품 가격은 개당 20달러가 된다. 가격이 비싸지면 미국 소비자들이 굳이 한국 상품을 사지 않는다. 수출의 비중이 높은 한국 경제에는 타격이 올 수밖에 없다.

◆**환율이 안 바뀌면 안 될까?** 결국 환율은 적정한 수준을 유지하면서 큰 폭으로 움직이지 않는 것이 최선이다. 하지만 환율은 끊임없이 변한다. 환율을 움직이는 요인들이 계속 작동하기 때문이다. 더욱이 한국은 1997년부터 환율 변동을 시장에 맡기는 ㉮자유변동환율제를 쓰고 있다.

환율이 변하는 가장 근본적인 원인은 앞서 설명했던 특정 국가의 돈에 대한 수요와 공급이다. 이 수요와 공급은 그 국가의 물가, 생산성, 경제 성장률 등에 따라 움직인다. 주식 시장이 어떻게 될지에 대한 전망도 환율 변동 요인 중 하나다. 한국의 증시가 앞으로 상승할 것 같다면 국내 투자자 외에 해외 투자자들도 국내 주식을 사고 싶어한다. 해외 투자자들이 국내 주식을 사려면 자신들이 가지고 있는 달러나 유로를 원화로 바꿔서 투자를 해야 한다. 원화에 대한 인기가 늘어나고, 이는 환율 하락 요인으로 작용하게 된다.

반대로 국내 증시가 하락할 것으로 전망되면, 해외 투자자들은 가지고 있는 주식을 팔기 시작한다. 그리고 주식을 팔아서 받은 돈 중 일부를 자기 나라 돈으로 바꿀 것이다. 이런 경우 환율은 올라갈 가능성이 높다.

1) 밑줄 친 ㉮의 의미를 설명한 부분을 찾아보라.

2) 위 글의 내용을 바탕으로 아래의 사람들이 경제적으로 행동했는지 이야기해 보라.

❶ 원화 환율이 1,000원이나 떨어졌다는 소식에 평소 사고 싶었던 미국 제품을 해외 사이트에서 구매하였다.

❷ 아시아에서 원단을 수입하여 미국 시장에 팔고 있는 A씨. 최근 원화 환율이 계속 상승하자 한국 업체에서 대만 업체로 거래처를 바꿨다.

❸ 최근 주식 시장이 호황을 맞으면서 주가가 연일 상승하고 있다. 그래서 가지고 있던 달러를 얼른 원화로 바꿨다.

제9과 세계와 나

학습 목표
세계를 이해하고 세계 속의 나에 대해 이야기할 수 있다.

주제	세계
기능	세계 이해하기, 세계화 과정 설명하기
연습	어휘 : 세계 지역 구분, 종교, 인종
	문법 : −다고 치다, −고서야
	말하기 : 세계 속의 자신에 대해 이야기하기
	쓰기 : 세계의 구성원으로서 자신에 대한 글쓰기
	읽기 : 세계인의 동경의 장소에 대한 글 읽기

제9과 세계와 나

어휘와 표현

1 다음을 관계있는 것끼리 연결하라.

❶ 동구권 •

❷ 동북아시아 •

❸ 서양 •

❹ 오세아니아 •

❺ 중동 •

❻ 지중해 지역 •

• ⓐ 아시아의 동북쪽에 위치해 있고, 한국, 중국, 일본 등의 나라가 이에 속한다.

• ⓑ 육대주의 하나. 멜라네시아, 미크로네시아, 폴리네시아, 호주, 뉴질랜드를 포함하는 섬과 대륙으로 이루어져 있다.

• ⓒ 동부 유럽 지역. 폴란드, 루마니아, 헝가리, 알바니아, 불가리아 등 소련의 영향권에 들었던 지역을 이른다.

• ⓓ 유럽, 아시아, 아프리카 세 대륙에 둘러싸인 바다. 동쪽으로 홍해와 인도양, 서쪽으로 대서양과 통하며, 북쪽에 흑해가 있다. 고대로부터 문화·경제·군사적으로 중요한 지역이다.

• ⓔ 유럽의 관점에서 본 극동과 근동의 중간 지역. 일반적으로 서아시아 일대를 이른다. 아프가니스탄, 이란, 사우디아라비아, 파키스탄 따위의 국가를 포함한다.

• ⓕ 유럽과 남북아메리카의 여러 나라를 통틀어 이르는 말.

2 〈보기〉와 같이 아래의 어휘를 사용해 문장을 완성하라.

> 보기
>
> **힌두교**는 인도의 토착 신앙과 브라만교가 융합한 종교로 인도 국민 대다수가 이를 믿는다.

교회	사우디아라비아	성경	수녀	신부	인도
절	모스크	이맘	기독교	이슬람교	~~힌두교~~

❶ 기독교는 이스라엘에서 시작하여 전 세계로 퍼졌다. 유일신을 믿으며 ＿＿＿＿＿＿이/가 경전이다.

❷ ＿＿＿＿＿＿은/는 알라를 믿으며 코란을 경전으로 한다. 중동에서 시작했지만 전 세계적으로 많은 신자가 있다.

❸ 가톨릭에서 청빈·정결·복종을 서약하고 독신으로 수도하는 여자를 ＿＿＿＿＿＿(이)라 부른다.

❹ ＿＿＿＿＿＿은/는 예수 그리스도를 주로 고백하고 따르는 기독교 신자들의 공동체, 또는 그 장소를 말한다.

❺ 이슬람 교단의 지도자는 ＿＿＿＿＿＿(이)라 부르는데, 원래는 이슬람의 신앙생활 및 의식에서 모범적인 지도자를 가리켰다.

❻ ＿＿＿＿＿＿은/는 승려가 불상을 모시고 불도를 닦는 장소이다. 한국에는 역사가 오래되며 경치가 수려한 명승지가 많다.

❼ 아시아 서부 아라비아 반도의 대부분을 차지하는 왕국인 ＿＿＿＿＿＿은/는 세계 굴지의 산유국이며, 이슬람교의 발상지로서 성지 메카와 메디나가 있다.

3 〈보기〉와 같이 아래의 어휘를 사용해 문장을 완성하라.

> **보기**
>
> 가: 저 배우는 아시아 사람처럼 생겼다.
>
> 나: 맞아요. **한국계**예요. 한국에서 태어났는데 어렸을 때 부모님을 따라
> 이민 갔대요.

교포	동양인	백인종	유색 인종
원주민	이주민	**한국계**	혼혈

❶ 가: 이곳 사람들은 대부분 사투리를 쓰는 줄 알았는데 그렇지도 않나 봐요.

　나: 아, 저 사람들은 외부에서 온 사람들이에요. 이곳 환경이 좋아서 요즘

　　　경제적으로 여유가 있는 ＿＿＿＿＿＿＿이/가 늘었어요.

❷ 가: ＿＿＿＿＿＿＿에 대한 차별 같은 것은 없습니까? 예전에는 백인이

　　　아니면 불친절하게 대하는 경우가 많았다고 하던데요.

　나: 전혀 없다고 할 수는 없는데요. 걱정하실 정도는 아닙니다.

❸ 가: 저 사람은 어느 나라 사람이야?

　나: 아버지는 한국분이신데 어머니는 러시아계 미국인이래.

　가: ＿＿＿＿＿＿＿ 중에 미인이 많다더니 진짜 예쁘게 생겼다.

❹ ＿＿＿＿＿＿＿은/는 일반적으로 밝은 피부색을 갖고 있는데 이는 피부

속에 멜라닌 색소가 부족하기 때문이다. 또한 회색·청색의 눈동자와 금발·

갈색의 모발이 공통된 특징이다

❺ 해외에 사는 ＿＿＿＿＿＿＿에게도 정치 참여권이 주어졌다. 모국의 정치

상황에 자신의 의견을 낼 수 있다는 점에서 대부분 환영하고 있다.

❻ 3개 이상의 사물을 놓고 같은 것끼리 묶어 보게 했을 때 동서양의 차이가 나타

난다고 한다. 서양인은 규칙성을 중요하게 생각하는 반면 ＿＿＿＿＿＿＿

은/는 외적인 유사성에 영향을 받는다고 한다.

4 〈보기〉와 같이 아래의 어휘와 '-란 -는 다'를 사용해 문장을 완성하라.

> **보기**
>
> 모으다
> 가: 다음 작품은 남아메리카 원주민에 관한 거라고 들었습니다.
> 나: 네. 그래서 **남미에 관계된 자료란 자료는 다 모으고 있는데요.**
>   생각보다 자료가 많지 않아서 걱정입니다.

> ~~남미에 관계된 자료~~   돈이 되는 물건   밤중에 돌아다니는 사람
> 번역되어 나온 책   손 대는 사업   음식에 들어간 재료
> 집에 있는 전자 제품

❶ 찾아 읽다

　가: 이 작가를 좋아하나 봐요. 지난번에도 이 작가 책을 읽고 있었잖아요.

　나: 네. 세계관이 마음에 들어서 ＿＿＿＿＿＿＿＿＿＿＿.

❷ 원산지를 표기하다

　가: 건강에 관심을 갖게 되면서 식품의 원산지를 밝히는 제도가 시행되고
　　　있지요?

　나: 네. 그래서 ＿＿＿＿＿＿＿＿＿＿＿.

❸ 뜯어 놓다

　가: 요한이는 참 점잖은 것 같아요. 키울 때도 편했을 것 같아요.

　나: 꼭 그렇지도 않아요. 아이가 호기심이 많아서 ＿＿＿＿＿＿＿＿＿＿＿
　　　고생 좀 했어요.

❹ 성공을 하다

　가: 저 분을 '미다스의 손'이라고 부른다면서요?

　나: 네. 저 사람이 ＿＿＿＿＿＿＿＿＿＿＿. 사업 수완이 대단해요.

❺ 가져가다

　가: 집에 도둑이 들었다면서요?

　나: 네. 집을 비운 게 채 반나절도 안 되는데 ＿＿＿＿＿＿＿＿＿＿＿.

✏️ **–다고 치다**

 〈보기〉와 같이 아래의 어휘와 '–다고 치다'를 사용해 문장을 완성하라.

> 가: 저야 아시아 사람이니까 <u>**한자에 익숙하다 쳐도**</u> 엘레나 씨는 서양
>   사람이 어떻게 그렇게 한자를 잘 알아요?
> 나: 제 전공이 동양학이라서 몇 년 전부터 틈틈이 한자를 공부해 왔어요.

경비가 남다   대표적인 관광지역이다

등록금은 장학금을 받아 내다   복권에 당첨이 되다

행사까지 완공하다   ~~한자에 익숙하다~~

---

❶ 가: 이번에 진짜 복권에 당첨이 될 것 같아. 왠지 느낌이 좋아.

　나: ＿＿＿＿＿＿＿＿＿＿＿＿＿＿ 그 많은 돈을 어디에 쓸 건데?

❷ 가: 교통비도 거의 안 들어서 경비가 많이 남지 않았어요? 저녁에는 좀 근사한

　　데 가서 맛있는 것 먹으면 안 돼요?

　나: 돈이 남기는요. 아까 선물 사느라고 돈 쓴 것은 기억 안 나요? 그리고

　　＿＿＿＿＿＿＿＿＿＿＿＿＿＿ 앞으로 남은 일정이 많은데 아껴야죠.

❸ 가: 유학이 애들 장난도 아니고 그렇게 쉽게 정하면 어떻게 하니? 학교 등록금은

　　어떻게 할 거야?

　나: 장학금 신청을 했으니까 장학금으로 내면 돼요.

　가: ＿＿＿＿＿＿＿＿＿＿＿＿＿＿ 생활비는 어떻게 해결할 건데?

❹ 가: 이런 식으로 자꾸 완공일을 앞당기면 부실 공사가 될 수밖에 없습니다.

　나: 행사가 코앞으로 다가왔는데 그럼 어떡합니까? 위에서도 행사까지 반드시

　　완공하라고 압박을 하는데요.

　가: ＿＿＿＿＿＿＿＿＿＿＿＿＿＿ 그 이후 안전성은 어떻게 책임지실 거예요?

✏ –고서야

1 〈보기〉와 같이 아래의 어휘와 '–고서야'를 사용해 문장을 완성하라.

> **보기**
> 가: 김치에 고춧가루가 들어간 게 얼마 되지 않았다면서요?
> 나: 네. 17세기에 **고추가 유입되고서야** 비로소 넣기 시작했대요.

> ~~고추가 유입되다~~   헤어지다   저녁에 간식까지 먹다
> 제 잔소리를 듣다   18세기가 되다   토마토가 수입되다

❶ 가: 동양에 국수가 있다면 서양은 파스타잖아요. 파스타를 오래 전부터
　　먹었나요?

　나: 아니요. 기록에 따르면 역사가 길지 않대요. 11세기경 이탈리아에 소개되었
　　고요. 1830년경 미국으로부터 ＿＿＿＿＿＿＿＿＿＿＿ 다양한 양념과
　　조리법을 갖추기 시작했대요.

❷ 가: 서양은 동양에 비해 여성의 정치 참여 제도가 잘되어 있는 것 같아요.
　　제도가 마련된 지 오래되었어요?

　나: 그렇지도 않아요. 서양에서도 여성의 정치 참여는 ＿＿＿＿＿＿＿＿＿＿
　　법적으로 인정받은 거예요.

❸ 가: 남편은 집안일을 많이 하는 편이에요?

　나: 아니요, 스스로는 절대로 안 하고 ＿＿＿＿＿＿＿＿＿＿ 슬슬 움직이기
　　시작해요.

❹ 가: 어제 집들이 온 손님들은 일찍 갔어요?

　나: 아니요. ＿＿＿＿＿＿＿＿＿＿ 자리에서 일어나더라고요.

❺ 가: 헤어진 지 벌써 두 달이 넘었는데 아직도 예전 남자 친구가 생각나요?

　나: 네. ＿＿＿＿＿＿＿＿＿＿ 그 사람이 얼마나 좋은 사람이었는지 알게
　　되었어요.

1 다음 질문에 알맞은 대답을 아래에서 찾으라.

❶ 국적이 미국인데 아시아 사람처럼 생기셨네요.

❷ 그렇다면 동양과 서양 문화를 둘 다 접하고 살았겠네요?

❸ 자라면서 주위 사람과 다르다는 생각을 해 본 적이 있으세요?

❹ 예를 들면 어떤 것들이요?

ⓐ 음, 일본 만화라든가, 한국 가요나 영화 같은 것들이요.

ⓑ 한때 그런 고민을 하기도 했는데요. 사실 요즘 젊은 세대들은 그런 외적 차이에 신경을 쓰는 경우가 별로 없어서요. 저도 자연히 무신경해지는 것 같아요. 미국의 제 고등학교만 보더라도 저 같은 아시아 학생은 물론 스페인계 학생들도 많고요. 걔들도 영어만 쓰는 게 아니라 스페인어, 중국어, 한국어 다 사용하니까요. 흔히 말하는 서양 사람처럼 생긴 미국애들도 동양 문화에 꽤 관심이 많아요.

ⓒ 태어난 곳은 미국이지만 중국계 미국인이에요. 저희 부모님이 모두 중국 분이신데, 부모님이 미국 유학 중에 만나셔서 저를 낳으셨고 그 후 미국에서 계속 살게 되었어요.

ⓓ 그런 것 같아요. 서양 문화를 즐기는 동양인이라고나 할까요? 어릴 때는 저도 친구들과 같은 미국 사람이라고 생각했는데, 커 갈수록 제 뿌리를 찾게 되고 동양적인 문화에 많이 끌려요.

쓰기

1 세계의 한 구성원으로 여러분 자신에 대한 글을 써 보자.

1) 다음에 대해 간단히 메모해 보라.

> 이름 :
>
> 민족 :
>
> 모어 :
>
> 태어난 곳 :
>
> 자란 곳 :
>
> 영향을 받은 문화 :
>
> 앞으로 더 알고 싶은 문화 :

2) 위의 메모를 바탕으로 글을 써 보라.

3) 쓴 글을 읽으며 제목을 만들어 보라.

1 다음은 세계인이 동경하는 장소의 변화에 대한 글이다. 잘 읽고 질문에 답하라.

세계사를 큰 흐름으로 이해할 때 국가의 번영을 '중심의 이동'으로 인식하는 것은 매우 중요하다. 정치·경제·문화·종교 등 다양한 요인에 의해 세계인들이 동경하는 장소가 이동하고 있으며, 그 이동의 방향을 이해하는 것이 세계를 이해하는 한 방법이 되기 때문이다.

한때 세계인의 동경의 장소는 그리스·로마였다. 그러나 로마 제국의 동서 분열 이후 세계의 중심은 뚜렷한 우위 없이 유럽 각지를 전전하다가 15세기 대항해 시대 이후 그 움직임에 엄청난 가속도가 붙게 된다. 15세기부터 16세기에 이르기까지 유럽의 중심은 포르투갈과 스페인이었다. 당시에는 두 나라 모두 광대한 식민지를 가진 강대국이었다. 현재 중남미의 국가들이 스페인어와 포르투갈어를 사용하는 것은 당시 이 두 나라가 남아메리카 대륙을 지배했기 때문이다.

그러나 이후 그 중심도 영국으로 이동하게 된다. 영국은 산업 혁명을 겪으며 경제적으로나 정치적으로 모든 나라 위에 군림하는 대영 제국으로서 세계의 중심이 된다. 거품 경제가 붕괴로 이어지기 전까지는 일본이 세계 경제의 중심이었다. 그러나 곧 미국에게 자리를 물려주게 되고, 최근까지 세계 최강국의 자리를 지키고 있는 미국 역시 맹렬한 기세로 추격해 오는 중국의 위력에 불안해하고 있다.

근대까지는 경제적 발전이 곧 문화적인 발전을 의미했다. 그런 까닭에 세계의 중심도 명확했다. 하지만 근대 이후로 접어들면서 경제적 중심과 문화적 중심이 나뉘게 된다. 19세기 경제의 중심은 영국의 런던이었고, 같은 시기의 문화의 중심은 프랑스 파리였다. 그 시대의 저명한 예술가는 대부분 파리에 모여 있었다. 파리 이전 예술의 중심은 피렌체로 대표되는 이탈리아였다. 그리고 지금 문화 예술의 명실상부한 중심은 뉴욕이다.

문화 예술의 중심은 경제의 중심과는 다르다. 경제의 중심이 다른 곳으로 이동하면 그곳에 남겨진 사람들은 쇠퇴와 몰락으로 인한 우울함을 맛보게 된다. 하지만 문화 예술의 중심이었던 곳에는 품격 있는 건축물과 명화, 예술과 문화의 향기라는 유산이 남아서 사람들은 이전의 영광을 긍지로 여기며 살아갈 수 있다. 로마, 피렌체, 파리, 빈과 같은 문화적, 예술적인 중심을 경험한 장소가 지금도 세계적인 관광 도시로서 '동경의 땅'으로 사람들에게 인기를 모으는 것은 그런 문화적 유산이 남아 있기 때문이다.

역사적으로 보았을 때 문화 예술의 중심이었던 곳은 브랜드가 되고, 경제의 중심이었던 곳은 브랜드가 되지 못하는 것은 매우 흥미로운 현상이다.

1) 다음 장소 중 성격이 다른 한 곳을 고르라.

   ❶ 미국   ❷ 일본   ❸ 영국   ❹ 프랑스

2) 읽은 내용과 같은 것을 고르라.

   ❶ 식민지 지배를 통해 문화가 전파되기도 했다.

   ❷ 아시아 국가가 세계의 중심이었던 적은 없었다.

   ❸ 현재 세계 경제의 중심은 문화의 중심이기도 하다.

   ❹ 문화의 중심지가 경제적 중심지보다 빨리 쇠퇴한다.

제10과 한국의 역사

학습 목표
20세기 이전까지의 한국의 역사를 이해하고 한국의 역사 및 자국의 역사에
대하여 이야기할 수 있다.

주제	한국의 역사
기능	한국의 왕조와 역사에 대해 이야기하기
	왕조의 문화적 특징 이해하기
연습	어휘 : 국가와 왕조, 문화적 특징
	문법 : 덕분에/탓에, -로써
	말하기 : 역사적인 인물에 대해 소개하기
	쓰기 : 대표적인 문화에 대한 소개글 쓰기
	읽기 : 한국의 역사에 대한 글 읽기

어휘와 표현

1 〈보기〉와 같이 아래의 어휘를 사용해 글을 완성하라.

> 보기
>
> 고려 왕조 다음에 <u>세워진</u> 나라가 바로 조선 왕조이다.

건국하다	멸망하다	번성하다
분열되다	~~세워지다~~	정복하다 통일하다

　　인류의 역사에는 수없이 많은 왕조가 존재했다. 각 왕조마다 정치, 경제, 문화에 있어 다른 특징을 보이며 인류의 역사를 풍성하게 해 온 것이다. 그런데 이들 왕조의 생성에서 소멸까지의 과정을 대략적으로 살펴보면 대부분 비슷하게 전개된다는 것을 알 수 있다.

　　먼저 혼란스러운 시기에 위대한 사람이 나타난다. 그 사람은 온갖 어려움을 뚫고 세력을 모아 하나의 나라를 ❶_____.

　　후대로 넘어가면서 정치적으로나 문화적으로 더욱 발전하고 ❷_____ 최고의 전성기를 맞는다. 이와 동시에 주변에 있던 약한 나라를 ❸_____ 영토를 확장시킨다. 그러나 해를 거듭할수록 국가를 통치하는 일보다는 자신들이 누리고 있는 힘에 집착한다. 또한 귀족이나 제후의 힘이 강해지면서 왕권은 약해지고, 하나의 나라가 여러 세력으로 ❹_____. 그러다가 결국 새로운 세력에 의해 나라는 ❺_____.

2 〈보기〉와 같이 아래의 어휘와 '–다면'을 사용해 문장을 완성하라.

> 보기
>
> 고려 자기가 화려하다, 조선의 백자는 매우 [   ]
>
> ➡ 고려 자기가 화려하다면 조선의 백자는 매우 소박하다.

> 다양하다   서민적이다   ~~소박하다~~
>
> 웅장하다   유교적이다   해학적이다

❶ 고려의 문화가 화려하고 귀족적이다, 조선의 문화는 실용적이고 [   ]

➡ _____

_____

❷ 고구려의 벽화가 투박하면서도 [   ], 백제의 예술품들은 선이 곱고 섬세

하면서도 색이 은은하다

➡ _____

_____

❸ 고려의 문화가 불교적인 색채가 강하다, 조선은 문화 전반에 걸쳐 [   ]

영향을 강하게 받았다

➡ _____

_____

❹ 신윤복의 '미인도'가 여인의 미묘한 표정을 그려 냈다, 김홍도의 '서당'은 선이

단순하면서도 [   ] 보는 이로 하여금 미소 짓게 만들다

➡ _____

_____

문법

덕분에/탓에

1 〈보기〉와 같이 아래의 어휘와 '덕분에/탓에'를 사용해 문장을 완성하라.

> **보기**
>
> 가: 김 사장님, 이거 오랜만입니다. 사업 잘되시죠?
>
> 나: 네, **도와주신 덕분**에 순조롭게 잘되고 있습니다.

날씨	~~도와주시다~~	불경기이다	선생님
생기다	예민하다	지지하다	팬들

---

❶ 가: ＿＿＿＿＿＿＿＿ 원하던 회사에 합격했습니다. 정말 감사드려요.

　　나: 무슨 소리야? 네가 열심히 노력했기 때문이지.

❷ 가: 서울에서 강원도까지 가는 데 시간이 많이 걸릴까요?

　　나: 고속도로가 ＿＿＿＿＿＿＿＿ 이제 2시간이면 갈 수 있게 되었어요.

❸ 가: 언제쯤 매출이 오르리라 보십니까?

　　나: 전 세계적으로 ＿＿＿＿＿＿＿＿ 당분간은 좀 어려울 것 같습니다.

❹ 가: 아니, 왜 이렇게 다들 짜증을 내는 거야?

　　나: ＿＿＿＿＿＿＿＿. 이런 날에는 불쾌지수가 높다고 하잖아.

❺ 가: 비서실 장 차장은 볼 때마다 살이 빠지는 것 같더라고.

　　나: 그렇죠? 늘 소화가 안 되고 자주 체해서 제대로 먹지도 못한대요.

　　다: 그게 다 신경이 ＿＿＿＿＿＿＿＿.

❻ 가: K리그 소식입니다. '성남'이 '서울'을 누르고 6년 만에 결승에 진출했습니다.

　　　경기 종료 직후 성남 선수들은 누구보다 응원해 준 ＿＿＿＿＿＿＿＿

　　　운동장을 돌면서 인사를 하였습니다.

✏️ −로써

1 〈보기〉와 같이 아래의 어휘와 '−로써'를 사용해 문장을 완성하라.

> **보기**
>
> 다른 사람과 다툼이 있을 때는 한 걸음 뒤로 물러서라. 상대방에게 한 발
> **양보함으로써** 더 큰 것을 얻을 수 있을 것이다.

공유하다	막다	~~양보하다~~
좁히다	확인하다	행동하다

❶ 가 : 이 지역 농가에서는 중간 유통 과정을 거치지 않고 소비자에게 직접
    판매하는 방식을 취하고 있다면서요?

   나 : 네, 소비자와 생산자 간의 거리를 ＿＿＿＿＿＿＿ 양쪽 모두의 이득을
    최대화하자는 것이지요.

❷ 가 : 중고등학생들을 위한 역사 문화 탐방 프로그램을 만드신 특별한 이유가
    있나요?

   나 : 자신이 살고 있는 곳의 역사를 직접 눈으로 ＿＿＿＿＿＿＿ 지역에 대한
    자긍심을 갖게 해 주고 싶었습니다.

❸ 가 : 각 부서에서 진행 중인 업무가 무엇인지 네트워크를 통해 알 수 있게 하는
    게 어떨까요?

   나 : 저는 찬성입니다. 업무 내용에 대한 정보를 ＿＿＿＿＿＿＿ 일을 보다
    원활하게 진행시킬 수 있을 거라 봅니다.

❹ 가 : 요즘 다래끼가 유행인데요. 다래끼가 생기는 것을 예방하려면 어떻게 해야
    할까요?

   나 : 다래끼는 세균 감염으로 인해 생기는 질환입니다. 따라서 세균 침입을
    ＿＿＿＿＿＿＿ 예방이 가능하지요. 그러려면 우선 눈을 만지는 습관을
    고쳐야 하고 손을 깨끗하게 씻는 것이 중요합니다.

1 역사적인 인물에 대한 발표이다. 발표의 흐름에 맞게 빈칸에 알맞은 문장을 아래에서 고르라.

여러분, 혹시 5만 원 권에 그려진 인물이 누구인지 아십니까? 바로 조선 중기의 여류 화가인 신사임당입니다. 지금부터 ❶

신사임당은 ❷ 특히 그림 실력이 뛰어났던 신사임당은 풀벌레나 꽃 등 자연을 소재로 한 섬세하고 사실적인 작품을 많이 남겼습니다.

신사임당은 오늘날 현모양처의 귀감으로 칭송 받고 있습니다. 이는 ❸ 19살에 이원수와 결혼해 슬하에 4남 3녀를 둔 신사임당은 남편이 학문에 전념할 수 있도록 10년간 홀로 가정을 이끌며 내조를 아끼지 않았습니다. 또한 ❹ 신사임당은 조선 왕조가 요구하는 유교적 여성상에 만족하지 않고 독립된 인간으로 가정을 이끌고, 예술가적 재능을 발휘한 시대를 앞서 가는 여성이었습니다. 그래서 지금까지도 존경 받고 있는 것입니다.

ⓐ 예술가로서뿐만 아니라 어머니와 아내로서의 덕행과 지혜를 지녔었기 때문입니다.

ⓑ 특유의 온화한 성품과 현명함으로 셋째 아들 이이는 대학자로, 큰딸 이매창은 예술가로 이름을 떨칠 수 있게 하였습니다.

ⓒ 화가이자 현모양처의 귀감이 되는 '신사임당'에 대해 소개하도록 하겠습니다.

ⓓ 1504년 강릉에서 태어났으며 어려서부터 시와 그림에 남다른 재능을 보였습니다.

쓰기

1 여러분 나라의 대표적인 문화에 대해 소개하는 글을 써 보자.

1) 여러분 나라의 대표적인 문화에 대한 자료를 찾아보라.

2) 찾은 자료를 아래의 표에 정리하라.

주제	
역사적 의의	
종류와 특성	
변천사	
일반적 특징	

3) 정리한 내용을 바탕으로 글을 써 보라.

1 다음은 한국의 역사에 대한 대략적인 글이다. 잘 읽고 질문에 답하라.

> 한반도에 정식 국가가 세워진 것은 기원전 2333년이었다. 바로 한반도 최초의 국가인 고조선이다. 한반도에서 만주에 이르는 영토를 확보했던 고조선은 기원전 3세기경 멸망하여 여러 나라들로 나뉘었으며, 기원전 1세기 무렵에 고구려, 백제, 신라가 여러 국가들을 정복하고 삼국 시대를 이루었다. 그리고 676년에 신라가 한반도의 대부분을 차지하는 첫 통일 국가를 세우게 되었다.
>
> 9세기 후반, 신라의 국력이 쇠퇴하자 후삼국 시대가 시작되었고, 왕건이 건국한 고려가 후삼국을 통일하면서 종식되었다. 불교와 최초의 인재 등용 시험인 과거제로 대표되는 고려는 475년간 한반도를 다스리다 1392년 조선 시대의 시작과 함께 역사 속으로 사라진다.
>
> 조선의 태조 이성계는 고려에 불만을 가지고 있던 신진 세력과 손을 잡고 조선을 건국했다. 조선의 4번째 왕인 세종이 왕위에 있던 시기에는 한글이 창제되고 측우기, 해시계와 같은 과학 기술의 발전도 이루어졌다. 그 후 1592년 임진왜란이 일어나지만, 수군을 이끈 이순신 장군의 노력과 전국적인 저항으로 나라를 지켜 냈다.
>
> 19세기에 들어 조선은 문호를 개방하라는 제국주의에 맞서나 결국 서양 및 일본, 청나라에 의해 문호를 개방하게 되고, 1897년 조선은 대한 제국으로 국호를 새롭게 정하면서 막을 내린다.

1) 위 글에 대한 설명으로 알맞은 것을 고르라.

❶ 시대별로 각 왕조의 업적을 정리한 글이다.

❷ 한국의 역사를 개괄적으로 정리한 글이다.

❸ 각 시대별 문화적 특징에 대해 설명한 글이다.

2) 빈칸에 들어갈 나라의 이름을 찾아 쓰라.

(   ) → 고구려, (   ), 신라 → 통일 신라 → 고려 → (   )

1 아래의 설명을 읽고 퍼즐을 완성하라.

				a		1	b				2	c		
	3	d												
						4								
e														
5														
									6		f			
						g								
h											7		i	
				8		j							9	
10														
			11		k									
12		l					13							
						m								n
	14					15								
											16			

〈가로 열쇠〉

1. 흥겹게 노는 데에 드는 비용.

2. 부지런하고 알뜰하게 재물을 아낌.

3. 율곡 이이의 어머니로, 자수와 서화에 능하였으며, 현모양처의 귀감으로 존경 받음.

4. 망하여 없어지다. 고려는 1392년 조선에 의해 ○○○○.

5. 아시아의 동남부 지역. 베트남 · 인도네시아 · 필리핀 따위의 나라가 포함된다.

6. 일정한 상태를 유지하는 시세. 이사철이 지나면서 집값, 전셋값이 ○○○를 보이고 있다.

7. 유럽, 아시아, 아프리카 세 대륙에 둘러싸인 바다. 아름다운 경치로 유명하다.

8. 국적이 분명하지 아니함.

9. 공부하며 학문을 닦는 데에 드는 비용.

10. B.C., 주로 예수가 태어난 해 이전을 이른다.

11. 동양사람.

12. 돈이나 물건 혹은 마음 따위를 쓰는 정도나 수량. ○○○가 헤프다.

13. 흥미가 매우 많다. 영화가 눈을 뗄 수 없을 만큼 ○○○○○○.

14. 바랄 만한 가치가 있다. 의견이 서로 다르다면 다수결로 결정하는 것이 ○○○○○.

15. 가계 지출 가운데, 주거에 소요되는 경비. 집세, 수도 요금, 화재 보험료 따위가 있다.

16. 이슬람교에서 예배하는 건물을 이르는 말.

〈세로 열쇠〉

a. 천주교의 종교 의식이 행해지는 집.

b. 돈이나 물건 따위를 마구 쓰다. 그는 젊어서 돈을 아끼지 않고 ○○○○○○.

c. 사치하지 않고 꾸밈없이 수수하다.

d. 아시아 서부 아라비아 반도에 있는 나라. 이슬람교의 발상지. 수도는 리야드.

e. 유럽의 관점에서 본 극동과 근동의 중간 지역. 일반적으로 서아시아 일대를 이른다.

f. 건국하다. 신라는 지금의 영남 지방을 중심으로 ○○○○.

g. 신분적으로 특권을 갖지 못하거나 경제적으로 넉넉지 못한 생활을 하는 사람의 모습 같다.
   고려 청자가 귀족적이라면 조선 백자는 ○○○이다.

h. 한 해나 어떤 일정한 기간을 둘로 똑같이 나눌 때에 앞의 절반 기간.

i. 재미있으면서도 품위가 있는 말이나 행동이 있다. 김홍도의 그림 속 인물들의 모습이
   ○○○○○.

j. 인도의 석가모니가 창시한 후 동양 여러 나라에 전파된 종교.

k. 재물을 아끼는 태도가 몹시 지나치다. 우리 아버지는 푼돈에는 ○○○○, 목돈에는 후하다.

l. 610년에 아라비아의 예언자 마호메트가 창시한 세계 3대 종교의 하나.

m. 그 지역에 본디부터 살고 있는 사람.

n. 재무테크놀로지(財務 + technology)를 줄여서 부르는 말.

2 다음 밑줄에 알맞은 말을 〈보기〉에서 골라 쓰라.

금값이다	돈방석에 앉다	손을 벌리다	허리띠를 졸라매다

1) 가: 영진 씨는 요즘 어떻게 지내요? 지난번 만났을 때 보니 형편이 어려워 보이던데요.

   나: 소식 못 들었어요? 재미 삼아 시작한 인터넷 쇼핑몰이 대박이 나서 _____.

2) 가: 사과가 왜 이렇게 비싸요? 살 엄두가 안 나네요.

   나: 지난 여름에 비가 많이 와서 과일 농사가 잘 안 됐대요. 과일 값이 _____

   하더라고요.

3) 가: 공공요금이 오르면서 서민 경제 부담이 커지고 있는데요. 시민들의 반응을 들어 봤습니다.

   나: 물가는 오르는데 회사에서 받는 월급은 똑같으니 _____ 수밖에요.

4) 가: 기회는 좋은데 자금이 없어서 시작을 못 하겠네요.

   나: 부모님께 부탁해 보면 어때요? 좋은 기회인데 포기할 순 없잖아요.

   가: 제가 나이도 있고 부모님 사정도 좋지 않아서 _____ 형편이 아니에요.

3 다음 밑줄에 알맞은 말을 〈보기〉에서 골라 쓰라.

돼지 목에 진주 목걸이	밑져야 본전	백문이 불여일견
새 발의 피	수박 겉핥기	우물 안 개구리

1) 가: 너 이번에 학교에서 하는 퀴즈 프로에 나간다며? 생각보다 어려울 텐데.

   나: 뭐, 돈 드는 것도 아니고 _____ 한번 해 보려고.

2) 가: 어려운 시험에 한 번에 합격하셨는데요. 후배 수험생들을 위해 조언 한말씀 해 주시죠.

   나: 과목도 많고, 범위도 넓어서 여기 조금, 저기 조금 _____ 식으로

   공부하는 친구들이 많은데, 하나를 보더라도 깊이 있게 보는 게 필요할 것 같아요.

3) 가 : 요 앞에 새로 생긴 건물이요. 천장까지 통 유리로 되어 있어서 햇살이 내부로 쏟아지고,

　　　바닥도 대리석으로 깔렸다던데, 진짜예요?

　　나 : 뭘 그렇게 꼬치꼬치 물어봐? 멀지도 않은데 ＿＿＿＿＿＿＿＿＿＿＿(이)라고 직접

　　　가 보면 되지.

4) 가 : 이번에도 저희 소아 병동의 어린 환자들을 위해 거금을 쾌척해 주셔서 감사합니다.

　　나 : 아닙니다. 다른 분들에 비하면 제가 하는 건 ＿＿＿＿＿＿＿＿＿＿ 수준이지요.

4 다음 밑줄에 알맞은 말을 〈보기〉에서 고르라.

> **보기**
>
> ⓐ 괄목상대　　　ⓑ 사면초가　　　ⓒ 삼고초려　　　ⓓ 진퇴양난

1) 균형적인 지방 발전을 공약으로 내세운 정부가 이를 실행에 옮기려 하자 많은 환경 단체들이

　반대의 목소리를 내고 있습니다. 환경 단체의 의견을 무시할 수도, 선거 공약을 지키지 않을

　수도 없게 돼 현 정부는 이럴 수도 저럴 수도 없는 ＿＿＿＿＿＿에 빠졌습니다.

2) 가 : 이번 신입생들은 예년 학생들에 비해 수준이 좀 떨어지는 것 같은데 어떠세요?

　　나 : 그래요? 저는 오히려 잠재력이 있는 학생들 같던데요. 강의할 때 보면 참신하고 날카로운

　　　질문도 많이 나오고 머지 않아 ＿＿＿＿＿＿하리라 생각해요.

3) 김영호 부산국제영화제 위원장이 프랑스 배우 이사벨 비노쉬를 초청하기 위해 ＿＿＿＿＿

　한 것으로 알려졌다. 3년 전부터 매년 부산 방문을 요청했으나 계속 실패로 끝나다가 이번에

　성공한 것이다.

4) 가 : 어제 경기에서 불미스러운 일이 있었다면서요?

　　나 : 네. 결승 2차전에서 김기열 선수가 판정에 불만을 품고 심판에게 강하게 항의하다

　　　퇴장을 당했습니다. 이로 인해 한국대는 주 공격수 없이 남은 경기를 치르게 돼

　　　＿＿＿＿＿＿에 빠졌습니다.

정답

제1과 봉사하는 삶

어휘와 표현 .... P.16~19

1 ① 기부하는　　　② 봉사하는
　③ 돌봐　　　　　④ 말벗이 되어
　⑤ 지원을 하는

2 ① ⓑ　　　② ⓒ　　　③ ⓔ
　④ ⓐ　　　⑤ ⓓ　　　⑥ ⓕ

3 ① 연말연시　　② 기부액　　③ 정기적
　④ 모금　　　　⑤ 기부자　　⑥ 의식 수준

4 ① 우선적으로 미혼모들에게 일자리를 제공해야
　　한다고 생각합니다.
　② 우선적으로 노숙인들을 위해 겨울 동안만이라도
　　지하철 역사를 개방해 줘야 한다고 생각합니다.
　③ 우선적으로 장애인에 대한 사회적인 편견을 버려
　　야 한다고 생각합니다.
　④ 우선적으로 결식아동을 위해 방학 중에도 급식을
　　중단하지 않아야 한다고 생각합니다.

문법 .... P.20~21

✎ -야말로

1 ① 그거야말로　　　② 공무원이야말로
　③ 아이들이야말로　④ 호랑이야말로
　⑤ 건강이야말로

✎ -다가도

1 ① 식욕이 없다가도　② 입을 다물고 있다가도
　③ 그만두고 싶다가도　④ 멀쩡하다가도
　⑤ 마음먹다가도

말하기 .... P.22~23

1 ① Q2-ⓑ　　② Q3-ⓒ　　③ Q4-ⓐ
　④ Q5-ⓔ　　⑤ Q6-ⓕ　　⑥ Q7-ⓖ

읽기 P.25

1 1) ②
　2) 상대가 원하지도 않고 필요로 하지도 않는 것을
　　돕는 행위

제2과 건강한 생활

어휘와 표현 .... P.28~31

1 ㉠ 심장　　　㉡ 간　　　㉢ 위
　㉣ 신장

① 뇌　　　② 혈관　　　③ 소장
④ 대장　　⑤ 항문　　　⑥ 폐
⑦ 자궁

2 ① 위는 소화 작용을 하는데, 이를 잘할 수 있도록
　　하기 위해서는 자극적인 음식을 즐기면 안 된다.
　② 간은 해독 작용을 하는데, 이를 잘할 수 있도록 하기
　　위해서는 간에 무리가 가지 않도록 해야 한다.
　③ 뇌는 중추 신경을 관장하는데, 이를 잘할 수 있도록
　　하기 위해서는 뇌에 충격을 주는 행동을 하면 안
　　된다.
　④ 심장은 혈액을 순환시키는데, 이를 잘할 수 있도록
　　하기 위해서는 일주일에 3회 이상 운동을 꾸준히
　　해야 한다.
　⑤ 성대는 목소리가 나오게 하는데, 이를 잘할 수
　　있도록 하기 위해서는 목을 무리하게 사용하지
　　말아야 한다.

3 ① 빈혈　　　② 고혈압　　③ 백혈병
　④ 성인병　　⑤ 뇌졸중　　⑥ 위암
　⑦ 치매

4 ① 과음을 하는 데다가 담배까지 많이 피우다 보니
　② 운동이 부족한 데다가 폭식까지 하다 보니
　③ 다이어트를 심하게 하는 데다가 잠까지 부족하다
　　보니
　④ 생활이 불규칙한 데다가 식습관까지 좋지 않다
　　보니
　⑤ 규칙적으로 운동을 하는 데다가 식사까지 채식
　　위주로 하다 보니

문법 .... P.32~33

✎ -므로

1 ① 비타민을 많이 섭취하면 피부가 좋아지므로 과일을
　　많이 먹어야 합니다.
　② 지방은 뇌에 영양을 공급하므로 견과류를 자주
　　섭취해야 합니다.
　③ 성장기 아동에게는 칼슘이 꼭 필요하므로 우유와
　　멸치를 반드시 먹어야 합니다.
　④ 햄버거에는 염분이 많아 건강에 해로우므로 가급적
　　먹지 말아야 합니다.
　⑤ 탄수화물을 지나치게 섭취하면 비만이 될 수 있으
　　므로 먹지 않는 것이 좋습니다.

-는 셈 치다

1 ① 속는 셈 치고　　　② 없었던 셈 치고
　③ 못 들은 셈 치세요　④ 운동하는 셈 치고

⑤ 선물하는 셈 치고

말하기
P.34

1 ① ⓒ   ② ⓐ
   ③ ⓑ   ④ ⓓ

읽기
P.36~37

1 1) (1) ○   (2) ×
    (3) ×   (4) ○

   2) 특효약이란 다른 어떤 약보다 효과가 탁월하게 좋은 약을 말한다.

제3과 면접

어휘와 표현
P.40~43

1 ① 꿈을 펼치기에 적합한
   ② 명성을 듣게
   ③ 역량을 발휘하고
   ④ 발전에 기여하도록
2 ① 면허를 따는
   ② 학생 회장을 한 경험이 있다고
   ③ 해외 연수를 다녀오신
   ④ 인턴사원으로 근무한
   ⑤ 자격증을 취득했습니다
3 ① 학업에 매진하여
   ② 잠재력을 확인한
   ③ 다양한 사람들과 교류하려고
   ④ 목표를 달성하기
   ⑤ 가교가 되어
4 ① 창의적이라 남들과 다른 생각을 하다 보니 다소 공상적이라는 말을 들을 때가 있습니다.
   ② 매사에 신중하여 결정을 할 때 시간이 걸리다 보니 아까운 기회를 놓칠 때가 있습니다.
   ③ 공사 구분이 확실해 개인적으로 친분이 있다고 해서 봐주지 않다 보니 저에게 섭섭해할 때가 있습니다.
   ④ 리더십이 있어 다른 사람들이 제 의견을 잘 따르다 보니 독불장군이라는 말을 들을 때가 있습니다.
   ⑤ 인정이 많아 다른 사람의 어려움을 지나치지 못하다 보니 제 일을 제때 처리하지 못할 때가 있습니다.

문법
P.44~45

-ㄴ 만큼

1 ① 좋은 만큼   ② 큰 만큼
   ③ 받은 만큼   ④ 뿌린 만큼
   ⑤ 필요한 만큼

-되

1 ① 질문을 하시되   ② 단점을 언급하되
   ③ 학업에 매진하되   ④ 용서는 하되
   ⑤ 최선을 다하되

말하기
P.46

1 ① ⓐ   ② ⓒ
   ③ ⓓ   ④ ⓑ

읽기
P.48~49

1 1) ㉮-ⓓ   ㉯-ⓒ
    ㉰-ⓑ   ㉱-ⓐ
   2) (1) ○   (2) ×   (3) ×

종합 연습 I
P.50~53

1

유		알	레	르	기		성					망
지	방			관		대	인	관	계			설
하		뒷	바	라	지				기	울	이	다
다	만					선		양				다
	성					천		로		뇌		
	피	부			경	제	적	지	원	종		
과	로			력			름		영	양	결	핍
	재		조	사			길			식		
실	무	능	력		항	문				아		
의					입	사	동	기				
농	촌		국					부				
			유	제	품			금				
	융			단			비					
만	병	통	치	약		체	질		타	고	나	다
	성		자		병	석		민		양	분	

2 1) 손을 떼야겠어
   2) 손이 크셔서
   3) 손이 발이 되도록 빌었지
   4) 손을 잡기로
3 1) 허파에 바람 든
   2) 간이 부었군
   3) 간이 콩알만 해져서

4) 배가 좀 아파

4 1) ⓓ   2) ⓒ

    3) ⓐ   4) ⓑ

제4과 **스포츠**

어휘와 표현   P.56~59

1 ❶ ⓑ   ❷ ⓓ   ❸ ⓔ

   ❹ ⓕ   ❺ ⓐ   ❻ ⓒ

2 ❶ 반칙을 할   ❷ 선수를 교체할

   ❸ 감독   ❹ 부상을 당했다(고)

   ❺ 응원하는

3 ❶ 메달을 따다   ❷ 출전하다

   ❸ 탈락하다   ❹ 지다

   ❺ 신기록을 세우다

4 ❶ 집중력을 높이는 데에 양궁만 한 것이 없다

   ❷ 전신지구력을 기르는 데에 마라톤만 한 것이 없다

   ❸ 순발력을 키우는 데에 배드민턴만 한 것이 없다

   ❹ 체중 감량을 하는 데에 유산소 운동만 한 것이 없다

   ❺ 체형 교정을 하는 데에 승마만 한 것이 없다

   ❻ 심폐 기능을 강화하는 데에 수영만 한 것이 없다

문법   P.60~61

✏️ **–락–락하다**

1 ❶ 오락가락하네요   ❷ 오르락내리락해서

   ❸ 들락날락해요   ❹ 붉으락푸르락하시네요

   ❺ 엎치락뒤치락하며

✏️ **– 싶다**

1 ❶ 경기에 못 나오나 싶었는데

   ❷ 최고 성적을 거두나 싶었는데

   ❸ 날씨가 좀 싸늘하다 싶어서

   ❹ 이번이 마지막 기회다 싶어서

   ❺ 해든 씨 혼자 늦게까지 일하나 싶어서

말하기   P.62

1 ❶ ⓒ   ❷ ⓓ   ❸ ⓕ

   ❹ ⓖ   ❺ ⓑ   ❻ ⓐ

   ❼ ⓔ

읽기   P.64~65

1 1) (1) ✕   (2) ○   (3) ✕

   2) (1) ✕   (2) ○   (3) ✕

제6과 **생활 속 과학**

어휘와 표현   P.76~79

1 ㉠ 이산화탄소   ㉡ 산성

   ㉢ 산소   ㉣ 알칼리성

   ❶ 이산화탄소   ❷ 산성

   ❸ 산소, 수소   ❹ 알칼리성

   ❺ 탄소

2 ❶ 종이에 연필로 글씨를 쓰면 종이 표면에 글씨가 써지게 마련인데, 이것은 종이 표면의 마찰력에 의해 연필심이 묻어나기 때문이다.

   ❷ 100m 달리기에서 전력 질주하면 선수가 결승선을 통과한 후에도 곧바로 멈추지 못하고 얼마 동안 계속 달리게 마련인데, 이는 관성이 작용해서이다.

   ❸ 비행기를 장시간 타고 가면 얼굴이나 다리가 붓게 마련인데, 이런 증상은 고도가 높아질수록 압력이 낮아져 몸이 바깥 쪽으로 팽창하기 때문에 나타난다.

   ❹ 물 10g에 설탕 5g을 녹여 무게를 재 보면 변함없이 15g이 나오게 마련인데, 이는 설탕과 물의 질량이 그대로 보존되기 때문이다.

3 ❶ 유전   ❷ 우성   ❸ 유전되고

   ❹ 돌연변이   ❺ 열성

4 ❶ 응고   ❷ 끓는점   ❸ 액체

   ❹ 기화   ❺ 승화

문법   P.80~81

✏️ **–게 마련이다**

1 ❶ 나이가 들면 주름이 생기게 마련이에요

   ❷ 상온에 물을 그냥 두면 물이 증발하게 마련이에요

   ❸ 눈에서 멀어지면 마음에서 멀어지게 마련이야

   ❹ 진실을 말하면 통하게 마련이야

   ❺ 꽃이 있으면 벌이 모이게 마련이야

✏️ **–ㄹ까요**

1 ❶ 건조한 실내의 습도를 높이기 위한 기계는 무엇일까?

   ❷ 비만도 유전이 될까?

   ❸ 하루 중 기온이 가장 높은 때는 언제일까?

   ❹ 왜 뜨거워진 공기는 위로, 차가워진 공기는 아래로 내려갈까?

   ❺ 별의 색깔이 다른 색으로 보이는 이유는 뭘까?

   ❻ 우리 반에서 나를 좋아하는 사람은 누구일까?

말하기 P.82

1 우리가 음식을 먹으면 그 음식물은 식도를 따라 위까지 오게 됩니다. 음식물이 위에 도착하면 그것을 소화시키기 위해 위가 열심히 움직이게 되고 이때 많은 양의 혈액이 필요하게 됩니다. 이렇게 위로 많은 양의 혈액이 모이게 되면 뇌 부분으로 흐르는 혈액의 양은 상대적으로 줄어들게 되겠지요. 뇌 부분으로 가야 하는 혈액의 양이 줄어들면 뇌의 활동은 당연히 둔해지게 마련입니다. 그럼 어떤 현상이 생길까요? 그렇습니다. 뇌가 열심히 움직이지 않아 결국 졸음이 오는 것입니다.

읽기 P.84

1 1) 선천적으로 피부, 모발, 눈 등의 멜라닌 색소가 결핍되거나 결여된 비정상적인 개체를 말한다.

2) ❹

제7과 도시와 사람

어휘와 표현 P.88~91

1 ❶ ⓑ ❷ ⓔ ❸ ⓕ
❹ ⓐ ❺ ⓖ ❻ ⓒ
❼ ⓓ

2 ❶ 의료 시설 ❷ 교통 체증 ❸ 소음
❹ 치안 ❺ 복지

3 ❶ 낭만적이고 여유롭다는 느낌을 받아요
❷ 복잡하다는 느낌을 받아요
❸ 비인간적이고 우울하다는 느낌을 받아요
❹ 생기 있고 활기차다는 느낌을 받아요
❺ 편리하다는 느낌을 받아요

4 ❶ 시설을 갖추지 않는 한
❷ 인구 집중을 막지 않는 한
❸ 노후된 상하수도 시설을 개선하지 않는 한
❹ 시민 의식이 높아지지 않는 한
❺ 언론의 자유가 보장되지 않는 한

문법 P.92~93

✎ –다가 보면

1 ❶ 먹을 수 있는데
❷ 사라지지 않을 것입니다
❸ 결혼 생활을 하다가 보면
❹ 계속 노출되는 것을 막다가 보면
❺ 찾을 수 있을 것입니다
❻ 경우가 종종 있을 것입니다

✎ –이자

1 ❶ '물의 도시'라고 불리는 이탈리아의 베니스는 항구 도시이자 휴양 도시로 많은 이들이 가고 싶어하는 곳이다.
❷ 초고층 건물이 많이 들어서 있다는 것이 그 도시의 장점이자 단점으로 사람들마다 평가가 다르다.
❸ 다음 달 27일은 우리 형의 생일이자 졸업식으로 다른 때보다 좀 더 큰 선물을 준비하려고 한다.
❹ 이번 영화제에서 각본상을 받은 이창동 씨는 영화 감독이자 소설가로 한국 문화계에 끼친 영향이 매우 크다.

말하기 P.94

1 ❶ ⓑ ❷ ⓐ ❸ ⓐ
❹ ⓑ ❺ ⓑ

읽기 P.96~97

1 1) ❶, ❹

2) 쿠리치바의 교통 시스템은 먼저 간선 도로에 버스 전용 차선을 설치해 버스에 돌파력을 부여하였고 버스를 마음껏 갈아탈 수 있도록 환승 터미널을 발전시켰다. 마지막으로 버스가 필요한 서민들을 위해 손님이 많든 적든 필요한 노선이라면 반드시 버스가 달리도록 하였다.

종합 연습 Ⅱ P.98~101

1

¹아	ᵃ이	스	하	키		ᵇ구		²ᵈ밀	집	하	다
산			³활	기	차	ᶜ다	도				ᵉ멀
⁴액	화			종	이			ᶠ금		리	
탄				목	방			메		뛰	
⁵소	음	⁹공	해			⁶단	거	리	달	리	기
		허				평	조				
⁷판	정	하	다			형	롭			ʲ출	
ᵏ응		다	⁸ˡ유	연	성		다			관	중
¹⁰원	심	력		전		ⁿ승			광		
하	¹¹고	산	병		¹²마	천	루		도		
다							¹³의	료	시	설	
				¹⁴삭	¹⁴ˢ수	상	ˢ스	포	츠		
ʳ역		막	소	키		¹⁵주	택	ᵗ공	급		
전	¹⁶짜	릿	하	다		점		차	격		
¹⁷패	하	다	다			프		난	수		

2 1) 어깨가 축 처졌어

2) 어깨에 힘을 주고

3) 어깨를 겨룰

4) 어깨가 가벼우시죠

❸ 1) ⓐ   2) ⓒ

3) ⓓ   4) ⓑ

❹ 1) 꼬리에 꼬리를 물고

2) 머리를 쥐어짜도

3) 꼬리가 길면

4) 머리를 맞대고

제8과 경제생활

어휘와 표현   P.104~107

❶ ❶ ⓑ   ❷ ⓓ   ❸ ⓒ

❹ ⓔ   ❺ ⓐ

❷ ❶ 교통비   ❷ 통신비   ❸ 식비

❹ 유흥비   ❺ 주거비

❸ ❶ 물가   ❷ 투자   ❸ 잔고

❹ 금리   ❺ 재테크

❹ ❶ 변동은 없지 않을까 생각됩니다

❷ 오르지 않을까 생각됩니다

❸ 안정세를 보이지 않을까 생각됩니다

❹ 제자리걸음을 하지 않을까 생각됩니다

❺ 인상되지 않을까 생각됩니다

문법   P.108~109

🖊 −리라

❶ ❶ 알고 있으리라   ❷ 별일 아니리라

❸ 심해지리라   ❹ 훌륭하리라

❺ 쉽지 않으리라

🖊 A라든가 B 같은 C

❶ ❶ 책값이라든가 학원비 같은 교육비에 제일 많이
써요.

❷ 수도 요금이라든가 전기 요금 같은 공공요금도
올라서

❸ 땅이라든가 건물 같은 부동산으로 돈을 모았어요.

❹ 태국이라든가 베트남 같은 동남아시아에서 온
사람들이 많아요.

❺ 귀걸이라든가 목걸이 같은 액세서리를 해 주면
어떨까요?

말하기   P.110

❶ ❶ ⓑ   ❷ ⓐ   ❸ ⓐ

❹ ⓑ   ❺ ⓑ   ❻ ⓐ

읽기   P.112~113

❶ 1) 환율 변동을 시장에 맡기는 제도

2) ❶ 경제적으로 행동했다. (환율이 떨어지면 수입 제
품의 가격이 싸진다. 그러므로 환율이 떨어졌을
때 수입 제품을 사는 것이 좋다.)

❷ 비경제적으로 행동했다. (원화 환율이 오르면 외
국 소비자 입장에서는 한국 제품이 싸게 느껴진
다. 그러므로 환율이 올랐을 때 한국 제품을 수
입하는 것이 경제적이라고 할 수 있다.)

❸ 비경제적으로 행동했다. (주가가 상승하면 해외
투자자들이 국내 주식을 사고 싶어하고 따라서
원화의 인기가 늘어나므로 환율이 떨어질 가능
성이 크다. 환율이 떨어지면 달러를 원화로 바꾸
는 것이 좋지 않다.)

제9과 세계와 나

어휘와 표현   P.116~119

❶ ❶ ⓒ   ❷ ⓐ   ❸ ⓕ

❹ ⓑ   ❺ ⓔ   ❻ ⓓ

❷ ❶ 성경   ❷ 이슬람교   ❸ 수녀

❹ 교회   ❺ 이맘   ❻ 절

❼ 사우디아라비아

❸ ❶ 이주민   ❷ 유색 인종   ❸ 혼혈

❹ 백인종   ❺ 교포   ❻ 동양인

❹ ❶ 번역되어 나온 책이란 책은 다 찾아 읽는 편이에요

❷ 음식에 들어간 재료란 재료는 다 원산지를 표기하
고 있습니다

❸ 집에 있는 전자 제품이란 제품은 다 뜯어 놓아서

❹ 손 대는 사업이란 사업은 다 성공했거든요

❺ 돈이 되는 물건이란 물건은 다 가져갔어요

문법   P.120~121

🖊 −다고 치다

❶ ❶ 복권에 당첨이 되었다 치고

❷ 경비가 남았다 쳐도

❸ 등록금은 장학금을 받아 낸다 치고

❹ 행사까지 완공한다 쳐도

🖊 −고서야

❶ ❶ 토마토가 수입되고서야

❷ 18세기가 되고서야

❸ 제 잔소리를 듣고서야

❹ 저녁에 간식까지 먹고서야

⑤ 헤어지고서야

말하기 P.122

1 ❶ ⓒ ❷ ⓓ

❸ ⓑ ❹ ⓐ

읽기 .... P.124~125

1 1) ❹

2) ❶

제10과 **한국의 역사**

어휘와 표현 .... P.128~129

1 ❶ 건국한다 ❷ 번성하여

❸ 정복하여 ❹ 분열된다

❺ 멸망한다

2 ❶ 고려의 문화가 화려하고 귀족적이라면 조선의 문화는 실용적이고 서민적이다.

❷ 고구려의 벽화가 투박하면서도 웅장하다면 백제의 예술품들은 선이 곱고 섬세하면서도 색이 은은하다.

❸ 고려의 문화가 불교적인 색채가 강하다면 조선은 문화 전반에 걸쳐 유교적인 영향을 강하게 받았다.

❹ 신윤복의 '미인도'가 여성의 미묘한 표정을 그려 냈다면 김홍도의 '서당'은 선이 단순하면서도 해학적이어서 보는 이로 하여금 미소 짓게 만든다.

문법 .... P.130~131

덕분에/탓에

1 ❶ 선생님 덕분에 ❷ 생긴 덕분에

❸ 불경기인 탓에 ❹ 날씨 탓이야

❺ 예민한 탓이에요 ❻ 팬들 덕분이라며

-로써

1 ❶ 좁힘으로써 ❷ 확인함으로써

❸ 공유함으로써 ❹ 막음으로써

말하기 P.132

1 ❶ ⓒ ❷ ⓓ

❸ ⓐ ❹ ⓑ

읽기 P.134

1 1) ❷

2) 고조선, 백제, 조선

1

			ᵃ성		⁴유	ᵇ흥	비			²근	ᶜ검	절	약
		³신	ᵈ사	임	당			청			소		
			우			⁴멸	망	하	다		하		
	ᵉ중		디					청			다		
	⁵동	남	아	시	아			하					
			라					다		⁶안	정	ᶠ세	
			비			⁹서						워	
	ʰ상		아			민					⁷지	중	ⁱ해	
	반				⁸국	적	ʲ불	명			다		⁹학	비
	¹⁰기	원	전				교						적	
				¹¹동	양	ᵏ인							이	
	¹²씀	씀	ⁱ이		색			¹³흥	미	진	진	하	다	
			슬		하		ᵐ원							ⁿ재
	¹⁴바	람	직	하	다	¹⁵주	거	비					테	
			교			민						¹⁶모	스	크

2 1) 돈방석에 앉았대요

2) 금값이라고

3) 허리띠를 졸라맬

4) 손을 벌릴

3 1) 밑져야 본전이니까

2) 수박 겉핥기

3) 백문이 불여일견

4) 새 발의 피

4 1) ⓑ/ⓓ 2) ⓐ

3) ⓒ 4) ⓑ/ⓓ

집필위원   송금숙 (*Song, Keumsook*)
고려대학교 한국어문화교육센터 전임강사
주요 저서: 재미있는 한국어 3, 5(공저)
　　　　　관심 · 사랑 · 화합으로, 하나가 된 우리(공저)

김수미 (*Kim, Sumi*)
고려대학교 한국어문화교육센터 강사
주요 저서: 여성 결혼 이민자를 위한 한국어 교육(공저)

김지혜 (*Kim, Jihye*)
고려대학교 한국어문화교육센터 강사
주요 저서: 재미있는 한국어 4(공저)
　　　　　학위 논문의 한국어 교육 연구 경향(공저)

발행일   2010. 11. 08   초판 1쇄
　　　　　2014. 01. 25   초판 4쇄
지은이   고려대학교 한국어문화교육센터
발행인   허정도
발행처   ㈜ 교보문고
총 괄   유승경

신고번호   제 406-2008-000090호
주 소   경기도 파주시 교하읍 문발리 501-1
전 화   대표전화 1544-1900
　　　　　도서주문 02-3156-3681
　　　　　팩스주문 0502-987-5725

ISBN   978-89-94464-36-7 14710
　　　　　978-89-93995-98-5 14710 (set)
값   16,000원